Budismo:

La Guía Principal de filosofia para principiantes. Supera el estrés y la ansiedad y obtene un sentido de libertad y felicidad a través de la meditación y las practicas conscientes.(Español)

Por

Shein Luipa

independientemente de si se realiza de forma electrónica o impresa. Esto se extiende a la creación de una copia secundaria o terciaria del trabajo o una copia grabada y solo se permite con el consentimiento expreso por escrito del Editor. Todos los derechos adicionales reservados.

La información en las siguientes páginas se considera en términos generales como una cuenta veraz y precisa de los hechos y, como tal, cualquier falta de atención, uso o mal uso de la información en cuestión por parte del lector rendirá cualquier acción resultante únicamente bajo su alcance. No hay escenarios en los que el editor o el autor original de este trabajo pueda ser considerado responsable de las dificultades o daños que puedan surgir después de comprometerse con la información aquí descrita.

Además, la información en las páginas siguientes está destinada solo para fines informativos y, por lo tanto, debe considerarse universal. Como corresponde a su naturaleza, se presenta sin garantía de su validez prolongada o calidad provisional. Las marcas comerciales que se mencionan se realizan sin consentimiento por escrito y de ninguna manera pueden considerarse un respaldo del titular de la marca.

Introducción

Felicitaciones por descargar el budismo y gracias por hacerlo.

Los siguientes capítulos discutirán todo lo que necesitas para entrar al budismo. El budismo es una religión que puede enseñarte cómo controlar tu vida a través de la meditación al profundizar en ti mismo para que puedas encontrar tu paz interior y tu poder.

No tienes que convertirte al budismo para poder hacer un buen uso de las prácticas y las técnicas de meditación y ayudar a equilibrar tu vida.

Hay muchas perspectivas del budismo que puedes usar todos los días de tu vida para que puedas alcanzar la paz interior y superar los obstáculos que enfrentas o enfrentarás más adelante.

Hay muchos libros sobre este tema en el mercado, así que gracias de nuevo por elegir este.Se hicieron todos los esfuerzos para garantizar que esté lleno de la mayor cantidad de información útil posible, ¡por favor, disfrute!

Capítulo 1: ¿Qué es el budismo?

El budismo fue fundado hace aproximadamente dos mil quinientos años, por un hombre llamado Buda Shakyamuni, que residió en la India e iluminó a muchos. Hay más de un millón de personas que siguen el camino espiritual que él comenzó a enseñar hace años. El camino de Buda es una forma de vivir una vida llena de sabiduría y compasión, y es tan relevante hoy como lo fue hace dos mil quinientos años.

El budismo ayuda a explicar que todo el dolor y el sufrimiento que experimentamos en nuestra vida se debe tanto a nuestro estado mental negativo como a nuestra confusión acerca de nuestra vida. Pero, toda nuestra felicidad y buena fortuna que experimentamos proviene de nuestro estado mental positivo. Las enseñanzas de Buda explicaron que había métodos que podrían usarse al superar cosas como la ignorancia, la ira y los celos para que pudiéramos crear una mente llena de sabiduría, compasión y amor.Al tener una mentalidad positiva , podemos experimentar una vida de paz y felicidad.

No importa la edad que tenga o de dónde sea, estas lecciones aún pueden aplicarse a su vida actual.Una vez que haya adquirido la experiencia que necesita para comprenderse a sí mismo, podrá transmitir esa sabiduría a otra persona para que pueda obtener los mismos beneficios.

Meditación

Si sabes algo sobre el budismo, entonces sabes que gira principalmente alrededor de la meditación porque así es como vas a poder entender tu propia mente y tu vida. Lo primero que debes identificar es que vas a tener una variedad de estados mentales negativos que se llaman delirios y una vez que los hayas identificado, podrás desarrollar un estado mental pacífico.

Con la meditación, podrás superar tus delirios a medida que te familiarices con una mente virtuosa. Con la meditación podrás mantener esta mente virtuosa que has creado para ti. Cuanto más positiva sea tu mente, tus acciones serán constructivas y vivirás una vida satisfactoria.

Podrás aprender a meditar para que también puedas experimentar los beneficios que conlleva. Sin embargo, tendrás que creer en las Tres Joyas si quieres avanzar más allá de lo básico, conocido como Buda, Sangha y Dharma. A través del uso de la meditación, la mayoría de las personas desarrollan esta fe.

El camino espiritual

Buda enseña un camino paso a paso para que puedas tener una felicidad duradera. Mientras sigues este camino, transformarás tu mente de su estado negativo presente en uno que sea positivo y feliz.

En el libro de Gueshe Kelsang "Ocho pasos para la felicidad":

"Cada ser vivo tiene el potencial de convertirse en un Buda, alguien que ha purificado completamente su mente de todas las fallas y limitaciones y ha llevado todas las buenas cualidades a la perfección. Nuestra mente es como un cielo nublado, en esencia, clara y pura pero nublada por las nubes de delirios. Del mismo modo que las nubes más gruesas se dispersan, también las ilusiones más pesadas pueden eliminarse de nuestra mente. Los delirios como el odio, la codicia y la ignorancia no son una parte intrínseca de la mente. Si aplicamos los métodos apropiados, podemos eliminarlos por completo y experimentaremos la felicidad suprema de la iluminación completa ".

Una vez que haya alcanzado un estado de iluminación, entonces va a poseer todas las cualidades necesarias para seguir el budismo y al mismo tiempo vivir en un estado exaltado.

Budista Escrituras

El Dharma es lo que explicará todas las lecciones que Buda enseñó mientras estaba vivo. Entrenó a muchas personas, pero tampoco escribió nada para compartir con otros después de su fallecimiento. La vida que vivió fue completa y sus seguidores recordaron de qué hablaba y los escribieron para que pudieran compartirlos con aquellos que no podían escuchar a Buda hablar. Sus lecciones se pusieron en libros que ahora se llaman sutras, y debido a las muchas lecciones que él enseñó, hay muchos sutras que detallan sus lecciones.

Los primeros sutras se distribuyeron en sánscrito y pali en hojas de palma. A partir de ahí, se reunieron y se colocaron en una colección que se conoce como Tripitaka porque se divide en tres secciones.

1. Abhidharma Pitaka : la filosofía y la psicología detrás de las enseñanzas de Buda.
2. Sutra Pitaka : los diversos sutras y lo que significan.
3. Vinaya Pitaka : las reglas que deben seguir los monjes y monjas.

Simbolos budistas

Al igual que con cualquier religión, hay símbolos en el budismo que tienen un significado especial para que recordemos las enseñanzas de Buda. En la sala frontal del templo, se le conoce como un santuario o la sala de Buda. En la cabecera de la habitación, se puede encontrar un altar cubierto con una variedad de cosas, pero hay tres cosas en particular.

1. Instrumentos de dharma
2. Tributos de Buda
3. Ofrendas tradicionales

Imagenes de buda

Las personas que no entienden el budismo creen que los ídolos del culto budista, pero esto está muy lejos de la verdad. Se inclinan y ofrecen ofrendas en reverencia a Buda pero no a su imagen. Esto se hace para que puedan reflexionar sobre las lecciones que Buda enseñó y para que puedan inspirarse en él. Estas imágenes no son necesarias pero sí ayudan; Es vital que sigan sus enseñanzas.

Hay una variedad de imágenes de Bodhisattva o Buda que retratan sus muchas cualidades. Tomemos, por ejemplo, que el Buda que tiene sus manos en su regazo nos ayudará a recordarnos a encontrar tranquilidad dentro de nosotros mismos, pero la estatua que tiene la mano derecha de Buda en el suelo está destinada a recordarnos que debemos encontrar determinación.

Ofrendas

Algunas de las ofrendas tradicionales se colocan en el altar para mostrar respeto a Buda.

1. Comida : para que recordemos dar lo mejor de nosotros a Buda.

2. Flores : para recordar lo rápido que cambian las cosas.

3. Agua : para la pureza.

4. Luz de una vela o lámpara : para la sabiduría.

5. Incienso : un recordatorio para estar en paz

Instrumentos de Dharma

Los instrumentos del Dharma se utilizan para ceremonias budistas y meditación. Cada instrumento se utilizará para un trabajo específico en la ceremonia o meditación.

1. Pescado de madera : ayuda a mantener el ritmo mientras se canta.
2. Campanas : da las señales de cambio durante las ceremonias y la meditación.
3. Gongs : anuncia cuando hay una ceremonia o actividad.
4. Batería : anuncia una ceremonia y ayuda a mantener el ritmo durante la ceremonia.

Flor de loto

Hay un poema que describe lo que significa la flor de loto en el budismo. En el budismo, la flor de loto es un símbolo para un despertar.

"El loto tiene sus raíces en el lodo, crece a través de las aguas profundas y sube a la superficie. Florece en perfecta belleza y pureza en la luz del sol. Es como la mente que se desarrolla para perfeccionar la alegría y la sabiduría ".

El árbol bodhi

Esta planta, que es un tipo de higuera, es un árbol pipal que se puede ubicar en la India. Se puede encontrar en Bodhgaya, donde los budistas suelen ir a apreciar la vida de Buda a Buda. Una vez que Buda encontró su despertar bajo el árbol, después de eso fue llamado el árbol de la iluminación o simplemente, el árbol Bodhi. El primer árbol se fue hace mucho, pero sus nietos no.

La bandera budista

Mientras Buda estaba sentado debajo del árbol Bodhi, hubo seis ráfagas de color que se desprendieron de su ser que se podían ver por muchos kilómetros. Los colores eran naranja, blanco, azul y amarillo. Esta es ahora la bandera budista que representa todos los colores que Buda vio después de alcanzar su estado de iluminación.

Estupas y pagodas

Las estupas y las pagodas son memoriales de los fósiles de Buda, los altos monjes y las monjas se pueden encontrar para que los budistas tengan la opción de viajar y presentar sus respetos. Estas reliquias son las joyas que se quedan una vez que alguien ha sido incinerado.

Festivales budistas

Al igual que otras religiones, los budistas tienen una variedad de festivales a los que asisten durante todo el año. Estos festivales están diseñados para celebrar los diferentes eventos que suceden en las vidas de aquellos que siguen las enseñanzas del Buda. Es durante estos festivales que las personas pueden refugiarse y preceptos, pero también pueden abandonar sus vidas actuales para convertirse en monjas o monjas.

Día de Buda

En la comunidad budista, este es uno de los días más importantes del año porque celebra el nacimiento de Buda, su nirvana y su iluminación. Esta ceremonia se lleva a cabo en mayo en luna llena. Durante este festival, la gente se turna para limpiar a Buda. Cubos de agua que han sido perfumadas con flores se vierten en un monumento del bebé Siddhartha porque es un símbolo de los budistas que limpian sus mentes y sus cuerpos.

Los templos están cubiertos con una variedad de pancartas y flores, mientras que los altares están llenos de regalos y se dan las comidas adecuadas a todos. Todos los animales que se mantienen cautivos son liberados , en otras palabras, todos disfrutan de un día de paz.

Día del Dharma

El día de Dharma también se conoce como Asalha Puja y se celebra en la primera luna llena de julio. Este día festivo se establece para recordar el primer sermón que Buda enseñó en Deer Park a cinco monjes budistas.

Día de la Sangha

También conocido como el día de Kathina, normalmente se lleva a cabo en octubre. En la tradición Theravada, hay un retiro para los monjes y monjas que dura 3 meses durante la temporada de lluvias. Una vez que termina el retiro, se les ofrecen ropas y cualquier otra cosa que puedan necesitar. Este día es para mostrar la asociación entre Sangha y laicos.

Ullambana

La observación de Ullambana se considera la historia de Maudgalyayana, que fue un fiel seguidor de Buda. Cuando su madre falleció, él deseaba saber dónde encontrarla en su nueva vida. Al usar los poderes que tenía gracias a su fe, pudo viajar a los reinos del infierno y descubrir que ella sufría hambre.Después de llevarle a su madre un plato de algo para comer, ella intentó comerlo, sin embargo, la comida se convirtió instantáneamente en carbón caliente en su boca.

Para su angustia, le preguntó a Buda por qué su madre estaba sufriendo en el infierno.

Buda le dijo que mientras estaba viva, ella era codiciosa y que era su retribución.Le dijo a Maudgalyayana que necesitaba hacer ofrendas a Sangha para que liberaran a su madre. Debido a sus ofrendas, la madre de Maudgalyayana y miles más fueron liberados del infierno.

Ahora, este festival se realiza para ayudar a los familiares difuntos a escapar del infierno y por lo general se lleva a cabo en septiembre.

La comunidad budista

Asia considera un gran honor que un miembro de la familia salga de casa. Pero, en la vida occidental, muchos se sorprenden cuando un miembro de la familia decide abandonar su hogar y tomar la vida de un monje o una monja. Creen que el miembro de la familia está siendo egoísta porque le están dando la espalda al mundo, pero en realidad es todo lo contrario porque se están dedicando a ayudar a otros por el resto de sus vidas. Aquellos que deciden vivir la vida de un monje o una monja no quieren poseer muchas cosas materiales ni desean tener poder o dinero. En cambio, renuncian a estos placeres mundanos para obtener una vida de libertad espiritual. Al vivir una vida simple, experimentarán menos avaricia, ignorancia y odio.

A pesar de que la mayoría de los monjes y monjas viven en monasterios, no le dan la espalda a su familia, tienen permiso para visitarlos cuando lo deseen y para cuidar a los miembros de la familia enfermos.

Vida de monasterio

Viviendo en un monasterio, un día comienza temprano para un monje y una monja. Antes del amanecer, asisten a las ceremonias y cantan sus alabanzas a Buda. Estas ceremonias están destinadas a levantar sus espíritus y traer armonía al monasterio. A pesar de que la Sangha lleva vidas simples, todavía tendrán deberes que deben cumplir. Cada persona trabajará diligentemente y no se quejará de los deberes que se le encomiendan.

A lo largo del día, hay monjes y monjas que enseñan en las escuelas o hablan sobre las lecciones que enseñó Buda. A otros se les da la tarea de traducir y revisar los sutras y otros libros que se usan en la fe budista.Otros tienen la tarea de crear imágenes de Buda, mientras que a otros se les da el trabajo de cuidar los templos y jardines. A algunos se les da la tarea de preparar varias ceremonias, dar consejos a los aldeanos y cuidar de los ancianos de la aldea y de cualquier persona que esté experimentando una enfermedad. El día va a terminar con los comentarios finales.

En sus vidas típicas, así como en sus muchas prácticas religiosas, los monjes y las monjas deben comportarse en consecuencia y son miembros muy respetados de su comunidad. Al vivir una vida sin adulterar y sin complicaciones, pueden obtener sabiduría adicional sobre cómo se vive la vida. A pesar de que están viviendo una vida dura y diligente, el resultado valdrá la pena para ellos y ayuda a mantenerlos en buen estado de salud. También ayuda a garantizar que tengan la energía que necesitan para completar sus tareas. Cualquier persona que resida en el templo budista o que planee visitar debe seguir el mismo horario y trabajar junto a los monjes y monjas.

Togas, cabezas afeitadas y tazones de ofrenda

Es ideal que los monjes y monjas posean lo menos posible, por lo general son solo sus túnicas y su tazón de ofrenda.La mayoría de las personas en el mundo pasan mucho tiempo y atención en su apariencia externa, pero los monjes y monjas budistas se deshacen de todo su cabello para que no se preocupen por lo que ve el resto del mundo, sino que se centran en sus vidas espirituales. . Una cabeza afeitada les recuerda que han abandonado la vida que eligieron para convertirse en parte de la Sangha.

Una parte de la religión budista es ofrecer comida a un monje o una monja. Es común en Asia ver a los monjes caminando con sus cuencos a los pueblos. Ellos no vienen al pueblo a ser g de alimento, pero que están ahí para aceptar lo que se les da.Esto no solo está destinado a ayudarlos a mantenerse humildes, sino que también les permite a los laicos devolverle algo a alguien más.Hay algunos países donde los laicos irán al convento para hacer sus donaciones.

La ropa que usan los monjes y monjas está hecha de una tela tejida con lino o algodón y el color de la túnica varía según el país en el que se encuentren.Por lo general, verás túnicas amarillas en Tailandia y negras en Japón. Si miras a Corea o China, verás una túnica gris o marrón que se usa cuando trabajas. Se usan túnicas hermosamente decoradas para las ceremonias a las que deben asistir. Y en el Tíbet, las túnicas son típicamente de color rojo oscuro.

Estos tazones de ofrenda y las túnicas que se usan son herramientas vitales para las monjas y los monjes. Buda dijo una vez: "Así como un pájaro lleva sus alas con él a donde quiera que vuele, así el monje se lleva sus ropas y sus bolos donde quiera que vaya".

El significado de los feligreses

Los feligreses son vitales en el budismo porque son el sistema de apoyo para la comunidad budista. Ellos son los que construyen los monasterios y templos, así como donaciones de ropa, ropa de cama, medicamentos y alimentos para aquellos que viven en los monasterios. Esto ayuda a la Sangha a llevar a cabo el trabajo de Buda. Sangha y Laity se ayudan mutuamente para mantener el Dharma en marcha.

En el budismo, se enseña que debes ayudar a apoyar a los necesitados y los pobres. Al dar apoyo a una persona religiosa, estarás haciendo una acción noble. Buda puso énfasis en proveer a los de la fe budista pero también a cualquier persona espiritual que fuera sincera sobre lo que hicieron.

Buda se aseguró de enseñar a sus seguidores a estar atentos a aquellos que tenían otras creencias.Tomemos, por ejemplo, cada vez que tiene una vela encendida, tiene luz, pero no es mucha luz. Pero, cuando tomas otra vela y la enciendes desde la primera llama de la vela, no estás apagando la luz, sino que estás aumentando la luz que apagan las dos velas que están encendidas juntas.

Diferentes tipos de budismo

Después de que Buda murió, sus seguidores se mantuvieron fieles y trabajaron para preservar sus enseñanzas y difundirlas por toda Asia. Hoy puedes encontrar dos escuelas de budismo conocidas como Theravada y Mahayana. Theravada se traduce como "la enseñanza de los ancianos" en la que los monjes theravada obedecen las enseñanzas de los monjes mayores.Estas prácticas han sido suspendidas desde la época de Buda.El objetivo de los monjes Theravada es alcanzar el estatus de un Arhat que es un individuo que ha sido liberado de sus tribulaciones. Theravada se practica generalmente en el sur de Asia como Sri Lanka, Tailandia y Myanmar.

Mahayana sigue el ejemplo de Buda y hace del mundo un lugar mejor. Mahayana se traduce como "gran vehículo". El objetivo de esta secta del budismo es seguir el camino del Bodhisattva. Alguien que es considerado un Bodhisattva es alguien que no solo se ilumina a sí mismo sino también a los que lo rodean. En este tipo de budismo, hay muchos Budas y Bodhisattva. Generalmente se extiende a través de países como China, Tíbet, Vietnam, Japón y Corea.

Ambas sectas se han introducido en las comunidades budistas occidentales.

Capítulo 2: Las enseñanzas de Buda

Se cree que Buda se sentó bajo un arbusto y observó cuán atractiva era la tierra que tenía ante él. Había flores que florecían y los árboles tenían hojas de colores brillantes. Entre esta belleza, él también pudo ver la infelicidad. Había un granjero que estaba golpeando a los bueyes en su campo mientras un pájaro tiraba de una lombriz de tierra y lo devoraba momentos antes de que un águila cayera y matara al pájaro. Preocupado por todo lo que estaba sucediendo a su alrededor, preguntó "¿por qué el granjero está golpeando a su buey? ¿Y por qué una criatura tiene que comer otra para poder sobrevivir?

Fue durante el período de iluminación que encontró las respuestas que estaba buscando .Había tres verdades que descubrió y cuando las compartió con la gente, se aseguró de expresarlas de tal manera que incluso la persona común pudiera comprenderlas.

"Nunca sucederá nada que no pueda ser explicado por el universo".

Esta primera verdad significa que no hay nada que se pierda en el universo. La materia que nos rodea se convierte en energía y esa energía se convierte de nuevo en materia. Las hojas muertas se convierten en el suelo para que una semilla pueda brotar en una nueva planta. Los viejos sistemas solares mueren para que puedan convertirse en energía universal. Estamos dotados de nuestros padres para que nuestros hijos puedan nacer con nosotros.

Todos y todo es lo mismo porque todos estamos hechos de las cosas que nos rodean. Somos parte del universo. Si arruinamos los objetos que nos rodean, nos estamos destruyendo a nosotros mismos. Cada vez que engañamos a alguien, nos engañamos a nosotros mismos. Como Buda entendió esta verdad, nunca mató a un animal en su vida.

"Todo cambia."

Todo a tu alrededor está en un estado de cambio constante. La vida es similar a un río que fluirá y cambiará a medida que el agua erosione la orilla y cambie la forma en que fluye el río. Hay momentos en tu vida que fluirán lentamente y otros que fluirán rápido. Va a ser suave en algunos lugares, mientras que otros lugares te ofrecen obstáculos que debes superar. Incluso cuando crees que estás a salvo, vas a estar lidiando con algo que no esperabas.

Hubo un momento en el que los depredadores peligrosos vagaban por la tierra pero se extinguieron; Sin embargo, la vida no terminó ahí. Hubo otras formas de vida que aparecieron y finalmente aparecieron los humanos. Si miras la Tierra desde el espacio, llegarás a comprender todos los eventos que tuvieron lugar para llevarnos a donde estamos hoy. Las ideas también van a cambiar. ¿Recuerdas haber oído que la gente pensaba que el mundo era plano?Tan pronto como la información que demostró que no lo era, esa idea también cambió.

La Ley de Causa y Efecto

Buda explicó que las cosas van a cambiar en el universo debido a la ley de causa y efecto. Esta es la regla exacta que puedes ver en la ciencia moderna.

Esta ley se conoce comúnmente como karma. No hay nada que nos suceda que no nos hayamos invocado en algún momento y momento de nuestra vida. Los pensamientos y acciones que tenemos representarán el tipo de vida que vamos a tener. En el caso de que se hacen las cosas agradables entonces las cosas agradables se pusieron arriba en usted.Lo mismo si haces cosas malas. Cada momento de tu vida está trayendo nuevo karma a tu vida debido a lo que dices, piensas y haces. Cuando entiendas esto, no te asustarás por el karma porque se convierte en tu amigo y te ayuda a crear un futuro mejor.

Buda fue citado diciendo:

"El tipo de semilla sembrada producirá ese tipo de fruta. Los que hacen el bien obtendrán buenos resultados. Los que hacen el mal cosecharán malos resultados. Si plantas cuidadosamente una buena semilla, con mucho gusto recogerás buenos frutos ".

Capítulo 3: Las 4 Nobles Verdades.

Había una vez una mujer que se llamaba Kisagotami, cuyo hijo primogénito murió.Debido a la pena que sentía por perder un hijo, caminaba por las calles cargando su cuerpo pidiéndole a la gente que le devolviera la vida a su hijo. Un hombre mostró su compasión y la llevó a Buda por ayuda.

Buda le dijo que encontrara una pequeña cantidad de semillas y que ayudaría a que su hijo volviera a la vida. Kisagotami se alegró y fue a buscar estas semillas; sin embargo, otra estipulación era que solo podía recoger las semillas de una casa que no había sido tocada por la muerte.

Visitó todas las casas del pueblo con la esperanza de encontrar una familia que no haya sido afectada por la muerte, pero todas las familias han experimentado la muerte. No había una sola persona en el pueblo que no hubiera sido tocada por la muerte. Cuando finalmente regresó a Buda, dijo que todos habían experimentado la muerte y que ahora entendía lo que él había estado tratando de enseñarle.

Complacido con que ella aprendiera su lección, él le dijo que nadie podía escapar de la infelicidad o la muerte .Si solo esperas felicidad fuera de la vida, entonces te sentirás decepcionado.

La vida no siempre va a ir como queremos, pero tenemos que entender que cada vez que nos lastimamos y acudimos a un médico, hacemos cuatro preguntas.

¿Qué está mal conmigo?

¿Por qué estoy enfermo?

¿Qué puede hacerme sentir mejor?

¿Qué necesito hacer para mejorar?

Al igual que un buen médico, Buda descubrió lo que estaba enfermando Kisagotami antes de encontrar una manera de curarlo. Desde allí, le prescribió la lección de aprender que la muerte está en todas partes y que no puedes escapar de ella.

1. Siempre habrá sufrimiento.

El sufrimiento es común a todos. Todos sufrimos de 4 cosas de las que no podemos escapar.

1. Nacimiento : Cuando nacemos, lloramos porque no sabemos nada mejor.

2. Enfermedad : cada vez que estamos enfermos, no importa lo enfermos que estemos, nos sentimos miserables.

3. Vejez : a medida que envejecemos, nuestros músculos y huesos duelen y es más difícil moverse y hacer lo que se necesita hacer.

4. Muerte : nadie quiere experimentar la muerte y cuando alguien cercano a nosotros muere, sentimos tristeza.Incluso si no están cerca de nosotros, sentimos pena porque ya no están vivos.

Buda nunca dijo que la felicidad no se podía encontrar en la vida, pero sí dijo que no podría durar para siempre. Habrá un punto en el tiempo en el que todos tendrán que lidiar con algún tipo de sufrimiento.

"Hay felicidad en la vida, felicidad en la amistad, la felicidad de una familia, felicidad en un cuerpo y una mente saludables, pero cuando uno los pierde, hay sufrimiento". –Buddha

2. Somos la causa de nuestro propio sufrimiento.

Buda explicó que las personas a menudo viven una vida llena de sufrimiento debido a su codicia e ignorancia. Ellos son ignorantes de la ley del karma y son codiciosos por cosas que no necesitan. Las personas hacen cosas que no solo son perjudiciales para su cuerpo sino también para su mente, y es en este punto en el tiempo en el que no pueden disfrutar de la vida ni están satisfechos con ello.

Tomar como ejemplo; después de que un niño haya probado un caramelo, el niño va a querer más y cuando el niño reciba más caramelos, el niño ya no lo quiere y pasa a otras cosas. Esto es lo que hace que las personas sufran, se exceden en cosas que no necesitan.

Todos merecen tener un buen hogar, buenos amigos y padres amorosos. Las personas deben disfrutar de vivir su vida mientras cuidan sus posesiones de una manera que no las hace codiciosas.

3. Para terminar con el sufrimiento, debemos dejar de hacer lo que está causando nuestro sufrimiento.

Para terminar con tu sufrimiento, necesitarás cortar tu codicia y tu ignorancia. Para hacer esto, tienes que cambiar la forma en que ves las cosas y vivir un estilo de vida más tranquilo y natural. Es lo mismo con soplar una vela. Hay que apagar la llama y apagarla para siempre. Los que siguen el camino de Buda dicen que este estado mental se llama Nirvana. El Nirvana, como aprenderás, es un estado de gran alegría y paz.

4. El camino del sufrimiento termina en la iluminación.

Para terminar con el sufrimiento, debes seguir el Noble Óctuple Sendero también conocido como el Camino del Medio.

1. La visión correcta : debes ver el mundo a través de los ojos de Buda, con sabiduría y compasión.

2. El pensamiento correcto : tus pensamientos deben ser claros y amables para que puedas construir un carácter fuerte.

3. El discurso correcto : cuando pronuncia palabras útiles y amables, más personas lo respetan y confían en usted.

4. La conducta correcta : no importa lo que digas, los demás te recordarán por cómo actúas.Entonces, antes de que empieces a criticar a alguien más, tienes que ver qué puedes hacer para arreglarte.

5. El medio de vida adecuado : elija un trabajo que no dañe a otra persona.Si usted es capaz de ganarse la

vida dañando a nadie, entonces hágalo. Debes poder buscar la felicidad sin hacer infeliz a otra persona.

6. El esfuerzo correcto : vivir una vida que valga la pena significa que tienes que hacer todo lo posible todo el tiempo y siempre debes tener buena voluntad para con todos, incluso cuando te hacen daño.No debe desperdiciar su esfuerzo en hacerse daño a usted mismo oa los demás.

7. La atención correcta : piensa en lo que vas a decir, hacer o pensar.

8. La concentración precisa : centrarse solo en una cosa a la vez.Cuando haces esto, puedes estar tranquilo y mantener tu tranquilidad.

Capítulo 4:

Siguiendo las enseñanzas de Buda

Buda no solo habló sobre las 4 verdades, sino que también enseñó otras cosas, sin embargo, todas enfatizaron el mismo punto.

La Triple Joya

Incluso Buda sabía que las personas tenían dificultades para seguir sus enseñanzas sin ayuda. Por eso creó los tres refugios para que confíen. Cada vez que una persona se convierte al budismo, puede refugiarse y depender de Buda, el Dharma y la Sangha. Estos tres son conocidos como la triple joya.

Los sanghas son los monjes y monjas. Por lo general, viven en monasterios y ayudan a llevar a cabo las enseñanzas de Buda. Sangha se traduce en comunidad armoniosa.

Juntos, la Sangha, el Buda y el Dharma mantendrán cualidades que son similares al oro y que pueden ayudar a las personas a alcanzar la iluminación.

Los refugiados van a lugares en busca de seguridad y protección. Esto no significa que estén huyendo de su vida, sino que están tratando de encontrar una vida que se pueda vivir al máximo.

Puedes considerar refugiarte como un hombre que viaja desde su ciudad. Su viaje va a ser largo y necesitará un guía porque nunca antes ha viajado. Por lo tanto, recorrerá la ciudad en busca de compañeros de viaje para ayudarlo en su viaje.

El Buda será su guía. El Dharma será su camino y la Sangha son sus instructores y asociados que conoció en su camino.

Las personas deben seguir una ceremonia especial si buscan refugiarse en los pliegues de la triple joya. Deben tener una mente genuina mientras recitan este juramento en presencia de una monja o monje ordenados.

"Voy a Buda a refugiarme. Voy al Dharma en busca de refugio. Voy a la Sangha a refugiarme.

El primer paso para tomar el camino hacia la iluminación es tomar refugio. Incluso si no se alcanza esa iluminación, proporciona un camino para la iluminación en la próxima vida. Cualquiera que tome los principios es conocido como un laico o una persona común.

Las cinco doctrinas

Cada religión tendrá un conjunto de reglas que muestran a los usuarios lo que deben y no deben hacer. Cuando se trata del budismo, estos reglamentos se denominan los cinco preceptos y fueron transmitidos por el mismo Buda.

1. No masacres : en el budismo, la vida es preciosa y todo y todos tienen el mismo derecho a vivir. Toda la vida debe scr respetada y no debes matar. Esto incluye no matar hormigas o mosquitos. Necesitas

tener actitudes que ofrezcan amor y amabilidad a cada ser viviente, deseándoles una vida de felicidad sin daño. Esto se extiende también al cuidado de la tierra. En un esfuerzo por asegurarse de que no dañen a los animales, la mayoría de los budistas son vegetarianos.

2. No robar : cuando robamos a alguien más, nos robamos a nosotros mismos.Por lo tanto, debemos apreciar los objetos que nos pertenecen, a nuestra familia y a los que nos rodean.

3. Sin conducta sexual inapropiada : debes respetarte a ti mismo y a quienes te rodean.Nuestros padres nos dieron el regalo de la vida, así que debemos protegerlo y no hacerle daño. Nuestra naturaleza debe mantenerse pura y nuestra virtud debe ser desarrollada. Estamos aquí para crear familias felices, haciendo del mundo un lugar mejor donde ambas partes se respeten mutuamente.

4. No mientas : cuando eres honesto, traes paz al mundo.Siempre que haya un malentendido, es

mejor hablar de las cosas.Esto también se refiere a no usar chismes de palabras ásperas, palabras en reposo o puñaladas por la espalda.

5. No intoxicantes : para mantener su mente y cuerpo despejados, debe evitar los intoxicantes.Hubo un día en que Buda estaba hablando con el Dharma cuando un joven ebrio entró en la habitación.Debido a su estado de intoxicación, tropezó con los monjes en el suelo y comenzó a maldecir en voz alta.El olor a alcohol en su aliento hizo que el aire también oliera a él. Todos los asistentes se sorprendieron por sus actos maleducados, pero el Buda se mantuvo tranquilo. Les dijo a los monjes que el hombre probablemente iba a perder su buen nombre y su riqueza. Su mente y su cuerpo se debilitarían y enfermarían y pronto comenzaría a pelear con amigos y familiares hasta que lo abandonaran. El hecho de que perdería su sabiduría y se volvería "estúpido" es lo peor que sucedería.

Puede aprender estos preceptos uno por uno, pero si los olvida, siempre puede volver a empezar. ¡Seguir estos preceptos es un trabajo de por vida!

Rueda de la vida

Los que siguen las enseñanzas de Buda no creen que la vida termine con la muerte. Tu conciencia se va en el momento de la muerte y se restaura en uno de los seis caminos del renacimiento.

1. Seres celestiales

2. Demi-dioses

3. Humanos

4. Asuras : un ser que ha hecho bien en la vida pero le gusta pelear.Aparecen en el cielo o en la tierra como una persona o un animal.

5. Fantasmas hambrientos : aquellos que sufrían de un constante estado de hambre.

6. Seres del infierno

Dependiendo de cómo vivas tu vida, determina cómo renacerás. Aquellos que hacen buenas obras van a nacer de nuevo en el reino celestial de los dioses, los humanos o los asuras.Pero, si hiciste malas acciones, renacerás como un fantasma hambriento, un ser del infierno o un animal.

Cuando renazcas de nuevo, siempre puedes subir o bajar por los senderos, así que si eres un ser del infierno y vives una buena vida, entonces existe la posibilidad de que nazcas en uno de los tres peldaños superiores de la escalera.

Escapar de la rueda

La rueda está alimentada por los tres principales venenos del mundo: odio, estupidez y avaricia. Cuando cortas el veneno, puedes escapar de la rueda y alcanzar la iluminación. Hay cuatro etapas de iluminación que puedes lograr.

1. Arhats : individuos iluminados.
2. Pratyekabuddhas : un ermitaño que abandona el mundo para encontrar la iluminación.

3. Bodhisattvas : una persona iluminada que ilumina a otros.

4. Budas : la iluminación perfecta.

Capítulo 5: Sufrimiento

La palabra dukkha se traduce en la palabra sufrimiento. Dukkha es una serie de emociones que van desde la felicidad hasta la desesperación. Un concepto central encontrado en las enseñanzas de Buda es la Contraintuición .Como verá en este capítulo, el sufrimiento no es una condena; sino más bien una oportunidad alegre para cambiar tu vida.

Si recuerdas de las 4 Nobles Verdades, el sufrimiento fue el primero. Según el budismo, todos están atrapados en un ciclo que se llama samsara. En este ciclo, simplemente estamos vagando por experimentar un sufrimiento que es insoportable para nosotros. Este sufrimiento dura año tras año y día tras día por la razón que tenemos de nosotros mismos. Pero, tenemos que encontrar la causa para curar esta enfermedad; para encontrar el sufrimiento antes de poder aplicar el "medicamento" que lo ayudará a recuperar su buena salud y lo llevará a la iluminación.

Algunos creen que porque proyectamos lo que se conoce como El mito de la permanencia, que está condicionado por nuestro estado constantemente cambiante y desinteresado.Todo lo que suceda en nuestra vida será interdependiente de las acciones que hagamos. No habrá nada en lo que podamos apoyarnos que no esté relacionado con nuestro sufrimiento. Todo será el resultado del deseo que tenemos de permanencia en nuestras vidas en el ciclo del sufrimiento.

Puedes ver el samsara por lo que realmente es cuando intentas entender la impermanencia. Samsara crea un ambiente inestable y nuestra respuesta a esa inestabilidad es lo que solidifica nuestro sentido del yo. El resultado final es lo que se conoce como sufrimiento porque nos relacionamos con las apariencias que consideramos como un elemento permanente en nuestra vida, pero en realidad es lo contrario.

Para tener una mejor idea de lo que significa dukkha, veamos un caso extremo de sufrimiento.En este nivel extremo de sufrimiento, nada parece soportable. Ahora, agregue tensión, molestia y falta de confiabilidad en ese espectro. Ahora tienes una mejor sensación de ello, porque en un extremo habrá una cualidad delicada de ser, mientras que en el otro, habrá una miseria severa tanto física como mentalmente.

Se puede agregar otro matiz a dukkha siempre que recordemos cómo lo vio Buda. Dijo que incluso los momentos felices pueden ser contaminados por dukkha. Esto se debe a que la experiencia o el momento está completamente establecido. Entonces, cuando lo veamos de esta manera, ¿qué llamaríamos dukkha en inglés? Hay una variedad de palabras que usamos ese rango en una escala debido a la intensidad del dukkha.

1. Desasosiego
2. Irritacion
3. Impaciencia
4. Molestia
5. Frustración

6. Decepción

7. Insatisfacción

8. Agravación

9. Tensión

10. Estrés

11. Ansiedad

12. Vejación

13. Dolor

14. Desesperación

15. Dolor

16. Tristeza

17. Sufrimiento

18. Miseria

19. Agonía

20. Angustia

Dependiendo de cómo mire el sufrimiento o de lo que considere que está sufriendo, podrá agregarlo a la lista. Para cada persona, habrá algo diferente, por lo que la lista nunca terminará. Pero, los que se enumeran más arriba se traducen en cierto grado de miseria que las personas experimentan en sus vidas.

Según Buda, hay tres tipos de sufrimiento. El primer tipo será el tipo físico que hará que experimente algún tipo de dolor físico, como golpearse el dedo del pie o pasar demasiado tiempo sin comer. Incluso puede extenderse a una enfermedad crónica con la que tienes que lidiar. Cuando experimenta dolor físico, generalmente existe un tipo de sufrimiento emocional que va a acompañarlo, como cuando se enoja por las injusticias de la vida o por no hacer que las cosas vayan a su manera.

El segundo tipo de sufrimiento se produce cuando la vida no permanece igual durante un período de tiempo. Puedes experimentar esto cada vez que encuentres felicidad y de repente se desvanece. Esto es porque no hay un momento en tu vida que sea confiable. Esto hace que parezca que hay un asalto interminable de cambio que está quitando cada momento de placer que experimenta. Por lo tanto, su mente nunca puede sentarse y disfrutar de la vida sin temer lo que sucederá a continuación. Además de eso, todos los días, incluso durante los momentos que no están acompañados por el miedo, ¿no te preocupa lo que sucederá en el futuro? Una manifestación del último tipo de sufrimiento que fue descrito por Buda es la preocupación y la ansiedad que temen.

El tercer tipo de sufrimiento es la insatisfacción inherente de la vida que proviene de la inestabilidad que ofrece.

Si observamos la forma en que Buda enseñó, entonces sabemos que la falta de permanencia es lo que hace que seamos infelices o que experimentemos dolor. Esto no significa que la impermanencia sea la causa directa del sufrimiento. A menudo malinterpretamos lo que Buda estaba diciendo al pensar que todas las cosas son impermanentes o que, si no tenemos un yo sólido, nos estamos haciendo sufrir. Estos hechos no son el verdadero comienzo del sufrimiento.

Dukkha no es producido por las cosas negativas o su naturaleza frágil. Nuestras mentes han sido entrenadas para pensar que nada más que cosas pasajeras o efímeras es donde solo podemos encontrar u obtener la felicidad eterna.

La realidad sobre el sufrimiento tiende a ser difícil, no solo a comprender, sino también a aceptar cuando se enseña la primera verdad noble. Es de naturaleza humana creer que si arreglamos las cosas en nuestra vida, podremos evitar el sufrimiento. Sin embargo, no importa lo que cambies, todavía vas a experimentar el sufrimiento. No es realista creer que podrás tener una vida libre de estrés; así que, en cambio, debes aprender a lidiar con el estrés que inevitablemente llegará a tu vida.

También debes saber que el sufrimiento no va a ser una predicción apocalíptica. Esto tampoco es una expresión de tu destino. De hecho, te alerta de lo que realmente eres.

No importa qué tipo de dolor experimente, debe examinarlo para poder descubrir qué hay detrás del dolor, porque siempre hay algo que está relacionado con ese dolor que estamos provocando y que nos causa dolor.

Capítulo 6: Karma

Todos conocen la palabra karma, pero no hay muchos que entiendan lo que significa. Los occidentales creen que el karma significa el destino o que es un sistema de justicia cósmica. Pero, esto no es lo que quiso decir Buda cuando habló de karma.

En sánscrito, karma significa acción y hay veces en que puedes verlo escrito kamma que significa lo mismo. Los budistas creen que el karma tiene un significado más específico, como la acción voluntaria o voluntaria. Las cosas que decimos hacer o pensar son las que ayudan a poner el karma en movimiento. En el budismo, creen que la ley del karma se basa en la causa y el efecto.

Hay algunos occidentales que piensan que el karma es el resultado de algo que ha sucedido. Toma, por ejemplo, alguien podría decir que perdiste tu trabajo debido a su karma. Pero, los budistas dicen que la palabra karma es la acción y no el resultado. Los efectos del karma se conocen como los frutos o resultados del karma.

Las enseñanzas del karma originalmente provenían del hinduismo, sin embargo, los budistas entienden el karma de una manera diferente a la de los hindúes. Buda vivió hace más de 26 siglos en Nepal y la India y mientras buscaba la iluminación, fue a los maestros hindúes. Pero, lo que le quitó a estos maestros fue en una nueva dirección.

El maestro budista Theravada, Bhikku, dijo que había diferencias en el karma. En el día de Buda, a la mayoría de las religiones que estaban en la India se les enseñó que el karma funciona en línea recta, las acciones pasadas tendrán una parte en el presente, mientras que las acciones presentes influyen en el futuro. Sin embargo, los budistas creen que el karma es muy complejo.

"El karma actúa en múltiples ciclos de retroalimentación, con el momento presente siendo moldeado tanto por el pasado como por las acciones presentes; Las acciones presentes dan forma no solo al futuro sino también al presente ".

Por lo tanto, el budismo sabe que el pasado va a dar forma al presente, pero el presente también dará forma al presente.

El autor Walpola Rahula explica esto en su libro "Qué enseñó el Buda;

En lugar de promover la impotencia resignada, la noción budista primitiva del karma se centró en el potencial liberador de lo que la mente está haciendo en cada momento. Lo que eres - wh ERE vienes - no es ni de lejos tan importante como los motivos de la mente para lo que está haciendo en este momento.Si bien el pasado puede explicar muchas de las desigualdades que vemos en la vida, nuestra medida como seres humanos no es la mano que hemos recibido, ya que esa mano puede cambiar en cualquier momento. Tomamos nuestra propia medida por lo bien que jugamos la mano que tenemos ".

Cada vez que nos atascamos en nuestros patrones destructivos, no siempre es el karma del pasado lo que nos está atascando.A veces estamos estancados porque continuamos repitiendo nuestros viejos patrones pero con nuestros pensamientos y actitudes actuales. Para cambiar nuestro karma, tenemos que cambiar nuestras vidas y para hacer eso, debemos cambiar nuestra mente. Un maestro zen llamado John Daido Loori fue citado diciendo: "La causa y el efecto son una cosa. ¿Y qué es esa cosa? Tú. Por eso lo que haces y lo que te sucede es lo mismo ".

Entonces, obviamente, el karma de tu pasado puede e impactará tu presente, pero siempre puedes cambiar.

El budismo enseña que hay otras fuerzas fuera del karma que ayudan a dar forma a nuestras vidas. Esto incluye fuerzas naturales como el cambio de las estaciones o la gravedad. Cada vez que ocurre un desastre natural , eso no es un castigo kármico; en cambio, es un evento desafortunado que significa que todos los demás deben responder con compasión en lugar de juicio.

Siempre habrá personas a las que les cuesta entender que el karma se crea a partir de sus propias acciones. Esto podría ser porque fueron criados con una variedad de modelos religiosos o porque quieren creer que hay alguna fuerza cósmica que dirige el karma asegurándose de recompensar lo bueno y castigar lo malo. De eso no se trata el budismo. Walpola Rahula, un erudito budista, dijo una vez:

"La teoría del karma no debe confundirse con la llamada justicia moral o recompensa y castigo. La idea de justicia moral o recompensa y castigo surge de la concepción de Ser Supremo, un Dios que juzga, que es legislador y que decide lo que es correcto e incorrecto. El término justicia es ambiguo y peligroso, y en su nombre, se hace más daño que bien a la humanidad. La teoría del karma es la teoría de causa y efecto, de acción y reacción; Es una ley natural, que no tiene nada que ver con la idea de justicia o recompensa y castigo ".

Muchos hablan del karma como si fuera bueno o malo. Pero, los budistas creen en una comprensión del bien y el mal y eso es diferente a la forma en que muchos occidentales los entienden.Para verlos desde un punto de vista budista, debes sustituir palabras como malsanas y sanas por palabras como bien y mal. Estas acciones saludables provendrán de un lugar de compasión desinteresada, sabiduría y bondad amorosa. Pero las acciones perjudiciales provienen de lugares de odio, avaricia e ignorancia. Es posible que pueda entenderlo mejor si usa palabras como útil e inútil.

La mayoría de las personas entiende que la reencarnación es un alma o la esencia de la propia muerte que sobrevive a sí misma y que vuelve a nacer en un nuevo cuerpo.Según esa definición, es fácil ver cómo el karma de su vida pasada se puede trasladar a uno nuevo. Esta es una gran parte de la filosofía hindú donde se cree que un alma discreta renacerá una y otra vez. Sin embargo, de nuevo, el budista enseña algo muy diferente.

Buda enseñó una doctrina llamada anatman que significa sin alma o sin yo.

Según sus enseñanzas, no habrá ningún yo en un ser autónomo permanente dentro de la existencia de un individuo. No importa lo que pensemos de nosotros mismos , no sobreviviremos a la muerte.

Entonces, ¿qué es renacer?¿Y cómo encaja el karma en ello?

El maestro budista tibetano Chogyam Trungpa Rimpoché tomó varios conceptos de las teorías psicológicas modernas y dijo que nuestra neurosis es lo que renace; esto significa que nuestros malos hábitos kármicos son los que renacen hasta el momento en que estamos completamente despiertos.

Hay algunos budistas que creen en un renacimiento literal cuando nos movemos de una vida a otra, pero hay otros que han adoptado interpretaciones más modernas que sugieren que el renacimiento será un ciclo repetido de malos hábitos que seguirán porque nosotros No tenemos suficiente información para entender nuestra verdadera naturaleza.

No importa qué interpretación se ofrezca, los budistas siempre se unirán para creer que nuestras acciones afectan nuestro presente y futuro; ¡Es posible escapar del ciclo kármico de la insatisfacción! Siempre y cuando pongamos nuestras espaldas en él.

Capítulo 7: Reencarnación

Has oído hablar de la reencarnación, pero ¿sabías que en realidad no es una enseñanza budista?

La reencarnación se entiende generalmente como la transmigración del alma de uno a un cuerpo diferente una vez que han pasado. ¡No hay ninguna lección en el budismo que enseñe esto, lo que sorprende a muchos, incluso a algunos budistas! Como mencionamos anteriormente, una doctrina fundamental del budismo es anatta. Ninguna parte de uno mismo sobrevivirá a la muerte, por eso los budistas no creen en la reencarnación en el sentido tradicional.

Por otro lado, muchos budistas hablan de renacimiento. Entonces, si los budistas no creen que no hay alma, ¿entonces qué va a renacer?

Buda enseñó que deberíamos pensar en nuestro yo, nuestra autoconciencia, personalidad y ego, como una creación de los skandhas. Nuestros cuerpos, tanto las sensaciones físicas como las emocionales, junto con nuestras ideas y creencias, trabajan en conjunto para crear una persona permanente también conocida como usted.

Buda dijo una vez que en cada momento en que naciste, decae y muere. Cuando dijo eso, quiso decir que tu ilusión de ti mismo se renovará a cada momento. No hay nada que se lleve de un momento a otro. Pero, eso no significa que no existamos; solo que no hay un cambio permanente en usted, en cambio, estamos redefinidos por las condiciones que enfrentamos en cada momento. El sufrimiento ocurrirá cuando tratemos de mantener nuestro deseo de un ser inmutable que es imposible y una ilusión.

Para liberarnos de nuestro sufrimiento, ya no debemos aferrarnos a la ilusión de que no vamos a cambiar.

Estas ideas provienen del núcleo de "Las marcas de la existencia". Las tres marcas son anicca, que es impermanencia, dukkha, que sufre, y anatta, que no tiene cgo. Buda enseñó lecciones sobre todos los fenómenos que incluían seres que están en un estado constante de cambio.

Rechazar la verdad es lo que ayuda a alimentar la ilusión de nuestro ego y, en última instancia, conduce al sufrimiento.

En el libro titulado "Lo que el Buda enseñó" escrito por Walpola Rahula, está la pregunta sobre qué es renacer si no eres tú el que renace.

"Si podemos entender que en esta vida podemos continuar sin una sustancia permanente e inmutable como el Ser o el Alma, ¿por qué no podemos entender que esas fuerzas pueden continuar sin un Ser o un Alma detrás de ellas después de que el cuerpo no funciona? ?

Cuando este cuerpo físico ya no es capaz de funcionar, las energías no mueren con él, sino que continúan tomando alguna otra forma, que llamamos otra vida.

"Las energías físicas y mentales que constituyen el llamado ser tienen en sí mismas el poder de tomar una nueva forma y crecer gradualmente y reunir fuerza al máximo".

Había un famoso maestro tibetano llamado Chogyam Trunpa Rinpoche que una vez tuvo la oportunidad de ver lo que había renacido dentro de nuestra neurosis, cuáles son los hábitos que hemos creado para nuestro sufrimiento y la insatisfacción que experimentamos. Pero, John Daido Loori, un maestro zen, se dice que dijo:

"La experiencia del Buda fue que cuando vas más allá de los skandhas, más allá de los agregados, lo que queda no es nada. El yo es una idea, un constructo mental. Esa no es solo la experiencia de Buda sino la experiencia de cada uno de los hombres y mujeres budistas realizados desde hace 2.500 años hasta nuestros días. Siendo ese el caso, ¿qué es lo que muere? No hay duda de que cuando este cuerpo físico ya no es capaz de funcionar, las energías dentro de él, los átomos y las moléculas de los que está compuesto, no mueran con él. Toman otra forma, otra forma. Puedes llamar a eso otra vida, pero como no hay una sustancia permanente e inmutable, nada pasa de un momento a otro. Obviamente, nada permanente o inmutable puede pasar o transmigrar de una vida a otra. Nacer y morir continúa sin interrupciones, pero cambia a cada momento ".

Cada maestro de la fe budista nos dirá que nuestro sentido del yo no es más que una serie de pensamientos que fluyen momento a momento. Cada momento de pensamiento va a dar forma al siguiente momento. Utilizando la misma teoría, el último momento de pensamiento de una vida anterior condicionará el primer momento de pensamiento para una nueva vida, de modo que sean una continuación de una serie de pensamientos.

Si bien esto no es fácil de entender y no se va a entender completamente, es la razón por la cual la mayoría de las escuelas budistas ponen un gran énfasis en la meditación para que puedas darte cuenta de que solo eres una ilusión de ti mismo. y podrás liberarte de esa ilusión.

El karma es la fuerza que impulsará la continuación de tus momentos de pensamiento. Mientras que el budismo enseña que el karma es una acción volitiva, cada palabra pensamiento o acción está condicionada por emociones como la pasión, el odio, el deseo y la ilusión, todo lo cual crea karma. Siempre que los efectos del karma se extiendan a lo largo de múltiples vidas, traerá un renacimiento.

En última instancia, no hay duda de que muchos budistas, sin importar dónde se encuentren, tienden a creer que existe la reencarnación. Hay parábolas que se pueden encontrar en los sutras y una variedad de otros materiales didácticos, como la Rueda de la Vida Tibetana, que ayudan a reforzar esta creencia.

Fue el reverendo Takashi Tsuji quien escribió sobre la creencia budista en la reencarnación. "Se dice que el Buda dejó 84,000 enseñanzas; La figura simbólica representa las diversas características de fondo, gustos, etc. de las personas. El Buda enseñó de acuerdo a la capacidad mental y espiritual de cada individuo. Para la gente sencilla de la aldea que vivió durante el tiempo del Buda, la doctrina de la reencarnación fue una poderosa lección moral. El miedo al nacimiento en el mundo animal debe haber asustado a muchas personas a actuar como animales en esta vida. Si tomamos esta enseñanza literalmente hoy, estamos confundidos porque no podemos entenderla racionalmente. Una parábola, cuando se toma literalmente, no tiene sentido para la mente moderna. Por lo tanto, debemos aprender a diferenciar las parábolas y los mitos de la realidad ".

La mayoría de las personas recurren a la religión en busca de las doctrinas que ofrecen respuestas a algunas de las preguntas más difíciles de la vida. Pero, el budismo no funciona de esta manera. Al creer en la doctrina de la reencarnación o el renacimiento, no habrá ningún propósito en tu vida. El budismo es una práctica que te permite experimentar la ilusión de ti mismo y de la realidad como realidad. Entonces, cuando una ilusión se experimenta como una ilusión real, finalmente podemos ser libres.

Capítulo 8: Nirvana

El nirvana es uno de los conceptos centrales del budismo que muchos encuentran confusos. En esencia, el nirvana es el objetivo final del budismo y ha sido referenciado repetidamente en los suttas budistas e incluso fuera de los círculos budistas.

Puede encontrar el nirvana en la mayoría de las sectas budistas y la enseñanza también se encuentra en las escuelas Mahayana y Theravada. De hecho, es una enseñanza fundamental como centro del dharma.

Hay muchos que tienen preguntas sobre cómo el budismo y el nirvana están conectados porque es una enseñanza que no vamos a utilizar en la vida cotidiana.Pero, la idea detrás del nirvana es bastante simple, aunque puede ser difícil de entender.

El ciclo del samsara

Lo primero que debes entender es el samsara, que es el ciclo de muerte y renacimiento en el budismo. Samsara en el budismo muestra el ciclo de sufrimiento y renacimiento que todos experimentan en sus vidas. Este ciclo en sus términos más básicos muestra nacimiento, vida, muerte y renacimiento. En sánscrito, la palabra samsara se traduce como deambular.

Buda enseñó que todos vagan a través de sus ciclos de vida con ignorancia. Nadie puede ver el ciclo claramente, por lo que están sujetos a seguir viviendo su vida de acuerdo con el ciclo del samsara.

Samsara es similar al nirvana porque es causado por el karma. Como vivimos y creamos una vida con cualidades saludables, podemos salir del ciclo del samsara y terminar con el sufrimiento que experimentamos.

Y saber esto nos lleva al nirvana. Nirvana también se llama nibbana en Pali.El Sr. Bhikkhu explica que el nirvana proviene de la palabra en Pali que significa "extinguirse" como lo que sucede con un incendio cuando se apaga. Al lograr el nirvana, estamos apagando el fuego de nuestro ciclo de samsara.

Primero debes entender que el nirvana no es un lugar. En cambio, es un estado de ser. En Pali, había un verbo que se usaba para explicar el acto de extinción que era nibbuti .Esta palabra se usó para ayudar a comprender que para alcanzar el nirvana, tendríamos que pasar por un proceso.

Buda mencionó que el nirvana no se puede describir a nadie que no haya podido lograr el despertar; sin embargo, señaló que Nirvana era una forma de liberarlos de su sufrimiento. Debido a esto, tenemos que preguntarnos qué se siente en lugar del proceso por el que tienes que pasar para alcanzar el nirvana.

Estar libre de sufrimiento es el propósito del camino que debe seguirse para alcanzar el nirvana. Si bien practicamos la meditación como principiante, puede convertirse rápidamente en algo abrumador e incluso confuso. Sin embargo, es útil mantener nuestro objetivo en el fondo de nuestra mente.

Al alcanzar un estado de liberación, esto no significa que nunca experimentará un mal momento en su vida.De hecho, significa que no te quedarás atrapado en el mismo ciclo de creación de sufrimiento en tu vida.Buda continuó experimentando desagradable después de su despertar, pero no sufrió. Debido a esto, sabemos que el nirvana es un estado de no aversión, no aferramiento y claridad para que podamos ver la realidad tal como es.

Si bien sabemos que el nirvana es el objetivo final, ¿cómo lo alcanzamos?

Lo primero que debemos examinar es las 4 Nobles Verdades de las que hablamos anteriormente. Al observar las 4 Nobles Verdades, entendemos que el sufrimiento es parte de lo que somos como seres humanos y que hay cosas que nos harán sufrir y que hay una manera de detener el sufrimiento.

Mientras que las 4 Nobles Verdades nos hablan de nuestro sufrimiento, necesitamos saber cómo terminar con ese sufrimiento y podemos encontrar esos pasos en el Nobel Ocho veces de Sendero. Gracias al Nobel Eightfold Path, sabemos que hay tres venenos de los que debemos deshacernos en nuestras vidas para terminar con nuestro sufrimiento.

Mientras intentamos alcanzar el nirvana, la primera sección del camino que seguiremos será sila, que se traduce libremente en ética o virtud moral.Esto incluirá acciones sabias, el habla y los medios de vida. Gracias a estas cualidades, podremos cultivar y usar nuestra vida diaria para poder alentar los otros datos que usaremos en nuestro camino.

Cada una de estas cualidades ayudará a crear las condiciones perfectas que necesitamos para alcanzar nuestro despertar. Estas prácticas solo pueden practicarse observando los Cinco Preceptos. Cuando rodeamos de sabiduría a nuestra comunidad, tendremos la opción de encontrar el nirvana más fácilmente. Cada una de estas cualidades facilitará la meditación para que podamos ayudar a otros a alcanzar su propio estado de nirvana.

El segundo grupo en nuestro camino hacia el nirvana se llama samadhi, que es una palabra pali que significa quietud mental.Esta será la parte de meditación del camino e implica el uso de la concentración sabia, la atención plena y el esfuerzo.

Si desglosamos esta sección un poco más para comprenderla, sabremos que la atención plena incluye una práctica conocida como los 4 fundamentos de la atención plena que nos permite ver mejor las tres marcas de la existencia.

La concentración significará que tenemos que cultivar una mente gracias a la meditación samatha. Por lo tanto, debemos alcanzar los diversos estados de absorción llamados jhanas

El esfuerzo significa que debemos cuidar las semillas y cualidades sanas para que no estemos alimentando a aquellos que no son sanos. Al practicar la meditación , uno puede darse cuenta cuando surgen las cualidades perjudiciales para que él / ella pueda asegurarse de que nos estamos liberando de estas malas cualidades que pueden causar sufrimiento.Depende de usted regar las semillas que lo ayudarán a alcanzar su despertar en lugar de las que lo pondrán nuevamente en el ciclo del samsara.

La última parte de nuestro camino es el Panna, que se traducirá en información.Con esta sección, se te presentará el último trío que necesitas para llegar al nirvana. Necesitará una vista sabia e intenciones sabias porque estas cualidades lo ayudarán a asegurarse de que está alcanzando su objetivo final.

Una visión sabia es un tema que va a ser complejo, pero para entenderlo mejor, se puede analizar examinando el dharma con claridad. Por lo tanto, debes comprender el karma, la naturaleza de la realidad, las tres marcas, los cinco obstáculos y las nobles verdades.

Las intenciones son exactamente como suenan, debes tener buenas intenciones. Por lo tanto, no puedes causar daño a nadie ni a nada y debes tratar de liberar a los demás.

En muchos sentidos, el nirvana en el budismo no será arcano ni esotérico, por lo que podemos entenderlo en nuestras vidas. Todo el mundo va a experimentar algún tipo de libertad de algo en nuestras vidas como el abuso de sustancias o una relación tóxica. Cuando obtenemos este tipo de libertad, levantamos parte del sufrimiento y la incomodidad que sentimos en nuestras vidas y puede ayudarnos a alcanzar el nirvana con mayor facilidad.

Este no es nuestro despertar final, aunque es una forma de despertar. Como usted es capaz de ver su vida más claro, que va a estar lleno de energía para limpiar a sí mismo de sus habi ts.El budismo ha ayudado a diseñar un plan que te muestra cómo abordar las formas en que sufres para que puedas trabajar por tu libertad.

La libertad vendrá en pequeñas dosis, pero podremos reconocer lo que está sucediendo. Ver esto nos ayudará a mostrarnos cómo el uso de la compasión y la sabiduría nos ayudará a alcanzar el nirvana más rápido.

Capítulo 9: Yoga

El budismo y el yoga comenzaron en dos países diferentes, uno en la India y el otro en China. Sin embargo, son consideradas tradiciones hermanas porque ambas tienen la misma cultura espiritual. También tienen términos que se usan tanto en sus prácticas como en sus prácticas similares, por lo que muchos no están familiarizados con las diferencias que se encuentran entre ellos porque a menudo se considera que son lo mismo.

El budismo y el yoga tienen tantas similitudes que es difícil encontrar las diferencias. Aquellos que estudian el budismo generalmente creen que el yoga fue influenciado por el budismo, mientras que los yoguis creen que fue al revés. El Dalai Lama era un refugiado del Tíbet y él ayudó a crear un camino para que las religiones budista e hinduista se respeten mutuamente y se comuniquen sin hostilidades. Los budistas que se originan en el Tíbet a menudo se encuentran asistiendo a reuniones religiosas para los hindúes.

Cuando miramos la historia, se cree que Buda nació hindú pero que creó el budismo después de su muerte.Fue en Indonesia que un estudio de Shiva-Buddha que hizo más difícil para los yoguis reconocer si eran budistas o hinduistas .El budismo también es una religión aceptada en Vishnu. Debido a que aceptan el budismo, eso no significa que vayan a aceptar todas las lecciones que Buda enseñó mientras estaba vivo.

El budismo y el hinduismo tienen muchas similitudes, pero también tienen su parte de desacuerdos que todavía se pueden ver hoy.

El yoga budista se puede practicar con o sin la postura física que enseña Patanjali en el yoga hindú. En las escuelas budistas, suelen practicar filosofías indias que comparten las prácticas que se pueden ver en la espiritualidad védica. Aunque comparten los mismos principios, las escuelas budistas no enseñan todos los principios védicos y no permiten que los védicos tengan autoridad sobre ellos.La meditación budista practica y ocasionalmente practica el yoga. Al mezclar la meditación con las prácticas de Yoga, nació una nueva práctica que ahora se llama Yoga Budista. Buda a menudo se consideraba un yogui porque la palabra yoga nunca se encontró en los antiguos textos budistas.

El budismo fue inspirado por el hinduismo.El budismo indio, así como el budismo tibetano, emplea un par de creencias hindúes diferentes como la astrología, el sánscrito y el ayurveda. También hay formas similares de adoración en el templo y una variedad de otras prácticas que se pueden ver en el budismo. Tanto en el hinduismo como en el budismo, se puede encontrar a la diosa Tara.

Hoy, cuando se menciona la palabra yoga, a menudo se la considera como las posturas yóguicas. El yoga no es solo las posiciones que se pueden ver y enseñar, sino que también incluye respirar con esas posturas que se consideran una forma de meditación budista.

Se practicarán varios tipos diferentes de meditación cuando se trata de yoga, y el más común que se encontrará practicando se conoce como la meditación del tercer ojo.

Meditacion del tercer ojo

Esta meditación se produce cuando enfocas toda tu atención en el lugar que se encuentra justo entre tus cejas.Muchos se refieren a este punto como el tercer ojo.

Su atención se dirigirá a este lugar como un medio para silenciar su mente. Va a ser en este momento que va a permitir que las brechas que se interponen entre sus pensamientos se amplíen y se vuelvan más profundas para que no esté pensando en lo que está justo en la superficie.

Para este tipo de meditación, debes cerrar los ojos y "mirar" el lugar que se encuentra entre tus cejas, y se puede utilizar con cualquier tipo de postura de yoga.

Meditacion de Chakra

Al utilizar la meditación de chakra, vas a elegir y centrarte en ese chakra en particular mientras haces tus posturas de yoga. Hay siete chakras diferentes en tu cuerpo entre los cuales podrás elegir. Para la mayor parte, vas a hacer algunas visualizaciones de la meta en la que estás tratando de tener éxito , y luego vas a hacer algunos cantos.Para cada chakra, hay un canto diferente, así que asegúrese de estar enfocado en el chakra adecuado cuando se trata del chakra en el que ha elegido enfocarse. La mayoría de las personas se enfocan en el chakra del corazón, el chakra de la corona o su tercer ojo.

Contemplando la meditación

Cuando se trata de sus metas, para contemplar la meditación, querrá tener un símbolo o una imagen de la meta que desea alcanzar.Vas a colocar este objeto en un lugar en el que puedas sentarte y mirar. A diferencia de otros enfoques de meditación, harás esta meditación con ambos ojos abiertos mientras permites que tu mente sea superada por el poder de la visualización.

Después de que haya mirado la imagen por el tiempo que crea que es necesario, tomará esa imagen que ha quemado en su mente y permitirá que sus ojos se cierren mientras aún ve esa imagen en su mente.

Esta puede ser una meditación muy poderosa porque usarás el poder de tu mente para obligarte a ti mismo a enfocarte en cuál es tu objetivo.No solo vas a tomar una meta tangible, sino que vas a llegar a donde permitas que tu mente vea la misma imagen que tienes para tu meta y la conviertas en una realidad en tu cabeza.Como dijimos anteriormente, es difícil hacer algo cuando tu cabeza no está en ella y con esto vas a poner tu cabeza tanto en ella como en tu cuerpo.

Meditación Kundalini

Esta puede ser una meditación de la que no has oído hablar antes. Cuando estés haciendo meditación Kundalini, necesitarás abrir tu energía Kundalini, que es una energía que puede ubicarse en la base de la columna vertebral y, por lo general, permanece inactiva. Cuando haga esto, trabajará en el desarrollo de varios centros psíquicos diferentes que se encuentran en su cuerpo de forma natural antes de poder alcanzar la iluminación completa.

Al igual que en la meditación que discutimos anteriormente, no querrá hacer esto sin alguien que tenga licencia para ayudarlo. Esto se debe a que puede ser un tipo de meditación practicada muy peligrosa debido al hecho de que va a trabajar con varias partes de su cuerpo donde la energía permanece inactiva la mayor parte del tiempo.

Con la kundalini, podrás usar este tipo de meditación para que tus metas produzcan más energía que naturalmente tienes en tu cuerpo.

Kriya Yoga

Con kriya, se enfocará en su respiración, la energía que fluye a través de su cuerpo y varias técnicas de meditación. Kriya se enseña a aquellos que desean desarrollar un mejor temperamento devocional y quieren usar la meditación más para los aspectos espirituales que para los físicos.Eso no significa que no puedas juntarlo con tus metas porque puedes estar trabajando debido a algo espiritual. Cualquiera que sea la razón para sus metas, éstas son las suyas, y no es necesario que le cuente a nadie sobre ellas porque no puede meditar o colocar sus metas según lo que otra persona diga. Es un viaje personal.

Use Kriya yoga como su forma de ponerse en contacto con su lado espiritual. Usted se beneficiará en tres niveles diferentes.

Meditacion sonora

Va a utilizar un sonido externo como su centro de calma. Vas a usar algo como flautas nativas americanas. Como sea lo que sea que hayas elegido para jugar, vas a permitir que vibre a través de ti.Puedes lanzar tus mantras y permitir que la vibración también fluya a través de ellos.

Cuando se concentre en sus metas, querrá permitir que su mente se quede en blanco de todo y centrarse únicamente en lo que quiere lograr.Es mejor si usas la música que vas a usar cada vez que intentas alcanzar tus metas, si es que usas alguna. Por lo tanto, si usa música cuando está corriendo o trabajando , querrá poner esa música para poder tener la mentalidad adecuada y pensar qué es lo que está tratando de lograr.

Eventualmente, querrá permitir que su meditación se convierta en sonidos internos con los que su mente y su cuerpo jueguen juntos y luego escuche su sonido sin vibraciones.

Tantra

Esto puede sonar como algo sexual. Sin embargo, la meditación del tantra no tendrá nada que ver con el sexo ritualizado. En cambio, es una forma muy compleja de meditación y está catalogada como uno de los tipos de meditación más avanzados debido a los diferentes grados que atravesarás cuando la estés practicando para controlar tu mente y crear quietud.Aquí hay algunos ejemplos de cosas que vas a hacer cuando estés trabajando con la meditación del tantra.

Vas a unir tu mente con el espacio que se encuentra dentro de tu corazón espiritual. De esa manera puedes poner tu corazón en lo que estás haciendo. Cuando se trata de tus metas, colocar tu corazón espiritual en lo que estás haciendo al fusionarlo con tu mente permitirá que tu meta alcance todos tus sentidos, por lo tanto, llegarás a partes de tu cuerpo que te ayudarán a lograrlo. alcanzando tu meta

Después de que hayas percibido un objeto, todos los demás objetos se van a vaciar. Esto ocurrirá cuando comiences a concentrarte en ese vacío, y no te molestarás en tratar de llenarlo.En su lugar, estará trabajando para permitir que esa brecha lo empuje hacia adelante para que pueda lograr su objetivo.

Necesitará enfocar su concentración en el espacio que se encuentra entre dos pensamientos.

Mueve tu meditación hacia el interior de tu cráneo con los ojos cerrados. Centrarse en los pensamientos o n lo que está tratando de lograr.Permítase absorberse en estos pensamientos y visualice cómo se verá cuando haya alcanzado estos objetivos.

Meditación en el momento y cómo te sentirás cuando hayas alcanzado la meta que te has propuesto.

No importa qué método elijas; usted será capaz de encontrar algo que funcione para usted dentro de la familia de la meditación yoga.Como se dijo anteriormente, la meditación más común que encontrarás es la meditación del tercer ojo.

Capítulo 10: Tipos de meditación

Hay muchas formas de meditar, todo lo que necesita hacer es encontrar la versión que más le convenga.Esto puede ser fácil para algunos, mientras que a otros les resulta más difícil porque tienen que pasar por varios tipos de meditación antes de poder encontrar el que les funcione. En este capítulo, verás varios tipos de meditación que puedes hacer; pero, tenga en cuenta que estos no son los únicos tipos de meditación, hay más por ahí y si estos no funcionan para usted, siempre puede hacer su propia investigación para encontrar uno que sí lo haga .

Meditación del Mantra

Al igual que la mayoría de los tipos de meditación, vas a hacer la meditación Mantra en una posición sentada con la espalda recta y los ojos cerrados. Sin embargo, con esto, vas a repetir tu mantra en tu mente todo el tiempo que estés haciendo tu meditación.

Un mantra que puede repetir cuando se refiere a sus metas es que está trabajando para poder alcanzar sus metas y hacer lo que está tratando de hacer.

Por ejemplo:

"Voy a correr el maratón 5k".

"Podré entrar en esa competición de peso".

"Voy a aumentar mi flexibilidad".

¿Ves el patrón? Estás diciendo que harás algo en lugar de pensar en ello.

Deepak Chopra dijo esto sobre la meditación Mantra:

"Al repetir el mantra, se crea una vibración mental que le permite a la mente experimentar niveles más profundos de conciencia. A medida que meditas, el mantra se vuelve cada vez más abstracto e indistinto, hasta que finalmente te llevan al campo de la conciencia pura desde la cual surgió la vibración. La repetición del mantra te ayuda a desconectarte de los pensamientos que llenan tu mente, de modo que quizás puedas deslizarte en la brecha entre los pensamientos. El mantra es una herramienta para apoyar tu práctica de meditación. Los mantras pueden verse como antiguas palabras de poder con intenciones sutiles que nos ayudan a conectarnos con el espíritu, la fuente de todo en el universo ".

Si bien los mantras que se enumeran arriba no son los mantras que se usan habitualmente, puedes usar cualquier mantra que desees, siempre que puedas repetirlo.Si te hace sentir mejor, puedes repetir algunos de los mantras más comunes, como om .

Cuanto más tiempo lo hagas, más se convertirá el mantra en parte de ti, por lo que querrás elegir algo que te harás creer, como cuáles son tus metas.

Tener la repetición constante en su cabeza mientras se concentra lo hará sentir como si estuviera haciendo algún tipo de progreso.

Meditación Vipassana

Si realiza su propia investigación sobre la meditación Vipassana, descubrirá que hay varias piezas de información que le dirán cómo debe practicarla .Sin embargo, una gran cantidad de maestros en este tipo de meditación le informarán que necesita comenzar colocándose en un estado de atención plena al respirar antes de continuar.El punto detrás de esto es tratar de estabilizar tu mente para que puedas llegar al punto de concentración óptima .Vipassana se parece mucho a la atención centrada en la meditación.

A medida que avanza a la siguiente parte de este tipo de meditación, podrá desarrollar una visión clara de lo que sucede con su cuerpo y su proceso de pensamiento.Al hacer que tu mente y tu cuerpo se conviertan en uno, utilizas la misma longitud de onda para no estar fuera de sincronía contigo mismo.

La vipassana se practica comúnmente como el Zen, al sentarse en el suelo con las piernas cruzadas. Sin embargo, sabemos que no todos tienen la capacidad de levantarse y bajarse del piso por varios motivos, por lo que también puede usar una silla que no tenga soporte para la espalda. Si lo hace de esta manera, querrá sentarse en el borde de la silla para poder mantener la espalda erguida sin relajarse y perder el rastro de lo que intenta lograr.

Lo primero que querrás hacer es desarrollar un sentido de concentración a través de una práctica que se conoce como samatha. La forma típica en que se hace esto es tomando conciencia de su respiración.Que se centrará toda su atención en cada momento que pasa y lo que está haciendo en ese momento.Entonces, cuando se concentre en su respiración, querrá notar las pequeñas diferencias que quizás no haya notado antes , como la forma en que su abdomen sube y baja con cada respiración.O, cómo se siente el aire cuando pasa por sus labios mientras es aspirado por la boca y luego por la nariz.

Mientras su mente se concentra en su respiración, puede comenzar a notar que va a comenzar a hacer que sus otros sentidos detecten cosas, como los diversos ruidos que se producen a su alrededor. Esto es perfectamente normal debido a que su mente y su cuerpo se están convirtiendo en uno solo, pero siempre asegúrese de que su atención vuelva a su respiración.

Debería tener un objeto primario de enfoque, su respiración, por ejemplo, y luego habrá un objeto secundario que entrará por uno de sus otros cinco sentidos.En el caso de que su objeto secundario retire su enfoque de su objeto primario, entonces necesita comenzar a concentrarse en el objeto secundario como su principal.

¡Si algo desagradable aparece a través de uno de tus otros sentidos, querrás volver a centrarte en algo agradable, como por ejemplo, cómo te sentirás después de completar tus metas diarias!

Vipassana te permite unir todo para que todo esté conectado a través de la misma cadena de conciencia y te estés enfocando en cosas agradables, como tus metas y cómo podrás lograrlas.

Al usar Vipassana, estarás castigando tu cuerpo mientras te das cuenta de cómo funciona tu mente. A diferencia de la meditación zen, no hay formalidades como rituales o cantos que vas a tener que hacer para crear una estructura. En el caso de que seas nuevo en la meditación, ¡Vipassana será la manera de comenzar!Especialmente si ha pasado bastante tiempo desde que has hecho algún tipo de meditación.

Meditación zen

La meditación zen se realiza normalmente cuando estás sentado en el suelo con las piernas cruzadas. La posición en la que coloca su cuerpo se conoce como posición de medio loto o posición de loto completo. Pero, a medida que el tiempo avanza, muchas personas que practican esta meditación no lo hacen.

Puedes relajarte en el suelo o en una silla siempre que mantengas la espalda completamente recta desde la pelvis hasta el cuello. Tu boca debe permanecer cerrada mientras tus ojos están medio cerrados mientras miras un lugar fijo en la cama o los mantienes completamente cerrados.

Cuando está utilizando la meditación Zen, puede concentrarse en su respiración, que pondrá toda su atención en su respiración, contando cuántas veces inhala o cuántas veces exhala. Este no es el mejor método para practicar cuando está tratando de enfocarse en sus metas.Sin embargo, si quieres hacer esto, puedes usar la meditación Zen en una de las posturas de loto. Al hacer esto, probablemente te centrarás en un objetivo de yoga o flexibilidad. No hay nada de malo en sentarte en una posición de loto y concentrarte en tu respiración mientras te permites visualizarte siendo más flexible.

El otro método que puede usar es conocido como Shikantaza en otras palabras; No vas a usar ningún objeto en particular para la meditación, solo vas a estar en el momento presente mientras te concentras en los pensamientos que pasan por tu mente. Esta es la práctica que es más probable que observes cuando trabajas en tus metas. Algunas metas no requieren que incluso te muevas de una posición sentada; por lo tanto, puedes hacerlos dondequiera que estés y cuando tengas tiempo.

Al usar Shikantaza, tomará asiento en el piso o en su silla y pensará en lo que pase por su mente.Lo mejor para tratar de enfocarte es qué es lo que quieres lograr con tu objetivo.Puedes lograr un objetivo sin siquiera salir de tu rutina diaria. Puede sentarse en su escritorio y estirar los músculos del cuello, la espalda, los brazos y las piernas. Y, si recién está comenzando con la meditación, este es probablemente el mejor lugar para comenzar. No tendrá que tomarse ningún tiempo adicional de su día porque podrá hacerlo sentado en su escritorio o incluso en su automóvil cuando se encuentre en un semáforo o sentado en el tráfico. También puedes hacer este tipo de meditación mientras haces yoga, ya que se conoce como un tipo de meditación de presencia fácil .

Si realiza una investigación adicional sobre la meditación Zen, encontrará que hay diferentes tipos de rituales y cantos que puede hacer cuando está practicando, sin embargo, no tiene que hacer esto porque se ponen en su lugar para que puedan ten un poco de estructura cuando se trata de practicar este tipo de meditación.Pero, como se mencionó anteriormente, ¡no hay una manera incorrecta de hacerlo!

Entonces, cuando estés utilizando la meditación Zen, querrás enfocarte principalmente en tu respiración o en los pensamientos que tienes en tu cabeza. Intenta mantener tus pensamientos enfocados en los objetivos que deseas alcanzar.No tienes que enfocarte en todo; simplemente va a querer concentrarse en una sola meta para no abrumarse y estresarse cuando esté meditando, y luego estará derrotando el propósito de lo que está tratando de lograr.

Mi recomendación para usted es usar Shikantaza cuando se estira antes de un entrenamiento, tratando de aflojar sus músculos o mientras está haciendo yoga. De esa manera no tendrás que contar en tu cabeza, por lo tanto, arriesgando el hecho de que puedes perder la pista de dónde estás parado y hacer que te sientas frustrado.

Meditación trascendental

La meditación trascendental no es un tipo de meditación que se enseñe comúnmente; de hecho, una de las únicas formas en que puede aprenderla es si le paga a un instructor para que le enseñe, siempre y cuando tengan licencia para ello .A quí, usted va a conseguir algo de gran ayuda en este tipo de meditación, si esta es la forma en que va a seguir.

La meditación trascendental se debe hacer dos veces al día, y será similar a hacer la meditación mantra. Sin embargo, el mantra que dirás no será uno que puedas recuperar, se asignará a Usted basado en su edad y su género.Por lo tanto, no son solo los ruidos aleatorios los que comúnmente se escuchan en la meditación.

Si va a utilizar la meditación trascendental, es mejor que lo aprenda de alguien que tenga licencia para enseñárselo a usted, de modo que pueda asegurarse de que lo haga correctamente.

Cuando se trata de tus metas, esta meditación es similar a un mantra, ¡excepto que tu mantra se te dará explícitamente!

Por lo tanto, si va a hacer este tipo de meditación, es mejor que le permita a su instructor saber que quiere usar la meditación para tratar de ayudar a sus metas, de modo que pueda conectar su mente y su cuerpo.Esto les permitirá crear el mantra apropiado para ti. Puedes descubrir que va a ser uno que se te ocurrió cuando hiciste la meditación mantra.

Auto-indagación y Auto meditación

Si estás buscando un tipo de meditación que sea simple y sutil, entonces querrás participar en la auto-indagación, y yo soy la meditación. Sin embargo, a medida que vaya leyendo más sobre el tema, no lo verá como algo simple debido a la naturaleza compuesta de la explicación.

Tu sentido del yo será el centro entero de tu universo, y cualquier cosa en la que estés pensando tiene que centrarse en ti mismo, incluidos los recuerdos o las percepciones que tienes. Sin embargo, no vas a ser completamente claro sobre lo que eres o quién eres realmente. Es por eso que nuestra mente, roles y cuerpo tienden a confundirse porque no sabemos quiénes somos realmente.

Por lo tanto, vas a utilizar la pregunta de "¿Quién soy yo?" para averiguar quién eres. Cualquier respuesta que llegue verbalmente tendrá que ser rechazada porque estás tratando de descubrir quién eres en el interior en lugar de quién eres en el exterior.

Cuando se trate de sus metas, va a utilizar su consulta sobre quién es usted para combinar su mente y su cuerpo de modo que puedan trabajar en perfecta sincronización en lugar de estar desincronizados, lo que hace que sea difícil para usted lograr tus metas En última instancia, estás utilizando tu pregunta de "quién eres" como una forma de atraer la atención sobre ti mismo.

En tu meditación de ti mismo, puedes descubrir que te hundirás más profundamente en lo que eres como para darte cuenta de lo que realmente te hace feliz, enojado, triste, etc.No importa cuál sea tu respuesta, ¡la respuesta será quién eres como persona!

Una excelente manera de utilizar esta meditación es enfocarse completamente en usted mismo y en los objetivos que tiene para su estado físico, a fin de asegurarse de que está alcanzando el objetivo que desea y, por lo tanto, de convertirse en uno con los objetivos que tiene. poner en su lugar.

Piénsalo así: 'Yo soy ...' y luego tu meta.

Su objetivo será diferente de todos los demás, pero, por ejemplo, puede centrarse en sí mismo y convertirse en uno con quién es usted y por qué está haciendo lo que está haciendo al pensar qué es lo que está intentando lograr y por qué lo es. que lo estas haciendo

Por ejemplo, voy a dejar de sentarme para poder ser más feliz.

Se está enfocando en qué es lo que quiere hacer y por qué quiere hacerlo.Por lo tanto, te estás preguntando qué es lo que estás haciendo y por qué lo estás haciendo.

No respondas ninguna pregunta que tengas en voz alta. Va a querer que todas las preguntas se respondan internamente para que no solo esté borrando nuestra primera respuesta que piense que sucede con demasiada frecuencia con las personas.Por lo tanto, tendrá que asegurarse de que usted está siendo honesto y responder a la pregunta con sinceridad.Usted es el único individuo que sabe si se está mintiendo a sí mismo o no y solo se estará haciendo daño al no responder la pregunta con honestidad.

Para hacer esta meditación, puedes hacerlo, sin embargo, y cuando quieras.No hay ningún ritual particular o canto especial que tengas que hacer para lograr este tipo de meditación .Si está en la cinta, puede hacerlo en la medida en que no se permita atraer a ninguna de las distracciones que tiene a su alrededor. ¡En lugar de zonificar como es normal, mira hacia adentro!

Meditación taoísta

Cuando analice la meditación taoísta, habrá varias subcategorías entre las que podrá elegir cuando decida qué meditación desea seguir.

Meditacion de vacio

Tal como lo sugiere el título, vaciarás tu mente de todo y te olvidarás de lo que te rodea para que puedas alcanzar un poco de paz interior. Lamentablemente, no muchas personas hacen esto porque les resulta demasiado difícil o poco interesante debido al hecho de que están acostumbrados al movimiento constante que ocurre todos los días.

Cuando se trata de sus metas de salud, querrá hacer esta meditación cuando haga algo que no le vaya a causar ningún daño, como caminar.

Meditación de respiración

Al igual que con toda la meditación, usted se concentrará en su respiración y en cómo la respiración entra y sale de sus pulmones cuando inhala y exhala. Es mejor que hagas esto cuando estás entrenando porque necesitas controlar tu respiración y qué mejor manera de hacerlo que meditar mientras lo haces.No tiene que cerrar los ojos y sentarse en una posición especial cuando se está enfocando en su respiración. Todo lo que necesita hacer es asegurarse de que está tomando una respiración uniforme y de que no estén demasiado separados o demasiado juntos.Una de las mejores cosas que puedes hacer es inhalar lo bueno y exhalar la mala energía .Esta es una buena forma de saber cuánto tiempo debe inhalar y cuánto debe exhalar para no terminar distrayéndose de lo que está haciendo.

Neiguan

Para este, usarás la visualización de lo que está sucediendo dentro de tu cuerpo durante la meditación.Vas a imaginar lo que hacen tus órganos y otras partes del cuerpo mientras trabajan juntos para asegurarte de que estás "corriendo" de la forma en que debes ser.Para lograr su objetivo de acondicionamiento físico con este tipo de visualización, querrá visualizar su corazón bombeando sangre a través de su sistema mientras realiza su rutina de ejercicios.

Si no va a distraerlo demasiado, entonces hacer esto cuando está haciendo ejercicio será perfecto porque podrá visualizar lo que está haciendo cada parte de su cuerpo a medida que avanza en su rutina de ejercicios.

Tu corazón está bombeando tu sangre vital; sus pulmones están trayendo aire a su cuerpo, sus músculos se mueven para mover su cuerpo de la manera que necesita ser movido, y así sucesivamente.

No es demasiado raro encontrar que estos tipos de meditación se practican sentados en el suelo con las piernas cruzadas y la columna vertebral completamente recta mientras los ojos están cerrados o medio cerrados. Sin embargo, esto no es obligatorio, por lo que no tiene que hacerlo si no lo desea.

Un maestro de meditación con el nombre de Liu Sihuan dijo: "que no va a ser fácil, pero idealmente, querrás practicar unir la respiración con la mente".

La meditación taoísta será principalmente para aquellos que pueden conectar su mente con la naturaleza y aquellos que disfrutan aprendiendo sobre la filosofía detrás de la meditación. También se usa comúnmente con artes marciales o Tai Chi.

Meditación Qigong

Curiosamente, hay más de mil ejercicios diferentes que involucran Qigong, y hay al menos ochenta que incluyen la respiración. Algunos se usan específicamente con artes marciales, mientras que otros lo ayudarán con su salud, como curar enfermedades o ayudar a nutrir las funciones corporales.

La mayoría de las veces, el qigong se practica en una posición que es estática o mediante un conjunto muy específico de movimientos dinámicos que puede ser enseñado por un maestro de un tipo de meditación o aprendiendo a través de videos.Cualquiera que sea la mejor forma de aprender es el método al que desea atenerse.No tiene que usar videos si no van a ayudarlo a aprender cómo hacer Qigong.

Antes de practicar qigong, querrá tener en cuenta estas sugerencias.

Debes asegurarte de que tu cuerpo esté equilibrado y centrado. Para lograr esto, debes sentarte en una posición que sea cómoda para ti.Permite que cada parte de tu cuerpo se descomprima; Esto incluye permitir que sus órganos internos y músculos se relajen.

Concéntrate en tu respiración. Tu respiración debe ser suave, pero profunda y larga.

Permita que su mente esté calmada para que no le permita vagar por varios lugares diferentes, por lo tanto, distraiga de lo que está destinado a hacer.

Su atención debe centrarse principalmente en el centro de gravedad de su cuerpo, también conocido como su dantian inferior.Este centro puede ubicarse a solo dos pulgadas debajo de tu ombligo. Debes sentir el qi moviéndose alrededor de tu cuerpo.

Para lograr sus objetivos, esto será particularmente útil porque se enfocará en el depósito de energía que se está acumulando en su cuerpo.Podrá sacar de este desbordamiento de energía cuando se trata de lograr sus objetivos de acondicionamiento físico.

Si quieres hacer qigong para mejorar ciertas funciones en tu cuerpo, entonces necesitarás asegurarte de seguir todas las reglas y rituales que existen sobre esa parte en particular del proceso de meditación.

Esto va a ser más para las personas que están activas y necesitan más energía fluyendo a través de su cuerpo para trabajar en la práctica que están tratando de hacer pasar por su cuerpo. Estar en esa meditación sentada no es para todos, qigong es perfecto porque te permitirá decidir si quieres ser estático o dinámico.¡Puedes terminar pasando por varias técnicas diferentes de qigong antes de encontrar la adecuada para ti!

Meditaciones guiadas

La meditación guiada es una práctica que se usa más comúnmente, e involucra no solo las formas del viejo mundo, sino que incorpora las formas del nuevo mundo para que puedas mezclarla en tu vida diaria sin tener que preocuparte por tomar demasiado tiempo lejos de tu ocupado programar.

Tal como lo sugiere el título, lo guiarán a través de sus meditaciones a través de un archivo de audio o un video.La mayoría de las meditaciones guiadas se pueden superponer, pero entran en una de estas categorías.

Meditacion tradicional

Las meditaciones tradicionales generalmente se guían a través de un archivo de audio mientras intentan ilustrar a dónde debe dirigirse su atención. Esto se hace para que puedas caer en un estado meditativo y el único sonido que encontrarás es el que proviene del maestro que te guía a través de tu meditación.Muchas de las meditaciones guiadas tradicionales se basarán en las prácticas que realizan los budistas para que, mientras disfruta de los beneficios que obtiene de ella, también profundice y desarrolle la práctica.

El uso de la meditación guiada tradicional puede ayudarlo a ubicar su mente en el lugar adecuado cuando se trata de sus objetivos de acondicionamiento físico.

Imágenes guiadas

Tal como lo sugiere el nombre, utilizarás el poder de la visualización para guiarte a través de tu meditación.Con esta meditación guiada , podrá enfocar y visualizar un solo objeto o viaje que debe emprender para llegar al objeto que desea lograr.

Relajación y escaneos corporales

Esta meditación se aplica mejor cuando se trata de encontrar medios para relajar todo el cuerpo.En muchos casos, se usará con música instrumental que es calmante, como flautas nativas americanas o sonidos de la naturaleza muy parecidos a lo que puedes encontrar en una máquina de ruido blanco.

Puedes hacer este tipo de meditación en yoga, y se conoce como yoga nidra .El propósito de esta meditación guiada es estar tranquilo y relajado.

Afirmaciones

La meditación de afirmación es una mezcla de meditación de imágenes guiadas junto con meditación de relajación, ya que estarás intentando imprimir un mensaje en tu cerebro.Cuando utilice este tipo de meditación para su estado físico, querrá imprimir el mensaje en el que desea alcanzar su objetivo, que puede hacer lo que cree que no puede hacer o que llegará a su objetivo.No importa cuál sea el mensaje impreso, usted querrá llegar a donde está ese algo que lo ayudará a alcanzar su meta.

Una vez que haya grabado el mensaje correcto en su mente, querrá seguir trabajando con ese mensaje cada vez que medite.No desea cambiar el mensaje cada vez; de lo contrario, será muy difícil para usted alcanzar el objetivo que está tratando de alcanzar.

Hay diferentes meditaciones guiadas en las que podrá participar, y si no le gusta lo que ha encontrado aquí, puede encontrar un mentor o alguien que esté dispuesto a ayudarlo con la meditación guiada en el área. en el que quieres enfocarte.Puedes usar la meditación guiada para cosas como mejorar la autoestima. Por lo tanto, usted podrá encontrar meditación guiada para su viaje hacia sus metas.

Meditación orientada a la actividad

Esta es una de las mejores meditaciones que harás mientras intentas alcanzar tus metas.Mientras realiza la meditación orientada a la actividad, realizará una actividad que requiere un compromiso repetitivo a medida que experimenta el flujo.

No hagas ninguna actividad que no te permita calmar tu mente.Por lo tanto, no querrá participar en ninguna actividad, como escribir listas de tareas pendientes y otras cosas que le causen estrés.

Algunas de las actividades de meditación orientadas más comunes son cosas como el yoga, la meditación caminando o la jardinería.

Para utilizar la meditación orientada a la actividad para lograr su objetivo, simplemente elija una actividad que pueda hacer, como hacer yoga, correr en una cinta de correr o incluso levantar pesas.Cada persona tiene una actividad diferente que les ayudará a lograr la relajación y una mente tranquila.

No intente hacer este tipo de meditación con algo que le haga daño durante su ejercicio o durante su meditación.Si está haciendo este tipo de meditación mientras camina o corre, debe asegurarse de estar prestando atención a lo que lo rodea .

En definitiva, esta es una meditación que no tendrá ningún esfuerzo, solo tendrá que asegurarse de tranquilizar su mente y concentrarse en lo que está tratando de lograr.

Meditación de la conciencia plena

Al igual que la meditación orientada a la actividad, la meditación de atención plena es una meditación en la que callas tu mente.Sin embargo, no haces que parezca que estás meditando.Querrá enfocarse en lo que está sucediendo en ese momento en lugar de pensar en lo que sucedió o sucederá.

Cuando se trata de propósitos de acondicionamiento físico, debes concentrarte en lo que estás experimentando mientras intentas alcanzar tus objetivos de acondicionamiento físico.

¿Qué estás haciendo actualmente? Enfócate en eso!

Mientras trabaja, necesita concentrarse en lo que está haciendo.¿Estás levantando pesas? Concéntrese en la forma en que sus brazos se mueven hacia arriba y hacia abajo para subir y bajar los pesos en el número de repeticiones en las que está trabajando.

Si está corriendo, concéntrese en cómo está cayendo su respiración, en la forma en que sus pies golpean la superficie sobre la que está corriendo.

En otras palabras, no querrá pensar en otra cosa que no sea lo que está haciendo en ese momento presente. Aunque parezca difícil, no debes preocuparte por el estrés que puedes experimentar en ese momento.Recuerda que vas a querer aquietar tu mente y ponerte en esa burbuja sin estrés .

La meditación de atención plena no requiere práctica de ninguna manera determinada ni pasar por ningún tipo de ritual. En su lugar, se puede hacer cada vez que encuentre el tiempo .Puede hacerlo cuando esté sentado en su escritorio en el trabajo, mientras conduce hacia su casa al final del día, o cuando encuentra el momento para hacerlo.

Meditación de la observación

La meditación de observación es el momento en el que cierras los ojos y te enfocas en el tercer ojo a medida que te adentras en ti mismo y comienzas a observar lo que sucede dentro de tu mente y cuerpo. No debes permitir que los pensamientos o lo que haga tu cuerpo interfieran porque querrás permitirte unirte a tu cuerpo, sin embargo, no debes detener lo que estás pensando.

Hacer este tipo de meditación se hace mejor cuando estás meditando antes de ejercitarte. Como no querrá forzar sus pensamientos en ninguna dirección, querrá que sus pensamientos se desvíen hacia los objetivos que intenta alcanzar.

Probablemente sea mejor que hagas esta meditación antes de realizar cualquier rutina, ya que puedes ser parte del hecho de que vas a querer intentar pensar en cómo lograrás tu objetivo.

Permítase pensar en los movimientos por los que pasará su cuerpo a medida que desarrolla su plan.¿En qué acciones vas a participar mientras haces lo que se requiere para asegurarte de poder alcanzar tu meta?

No tiene que hacer esto durante un largo período de tiempo, todo lo que tiene que hacer es sentarse y meditar durante unos diez minutos al día para que finalmente se convierta en un observador de su propio cuerpo. Mientras aún estés en completo control de tu cuerpo, querrás ver qué sucede cuando simplemente estás realizando los movimientos sin esfuerzo y sin pensar en ello.

Es posible que se sorprenda de lo que va a pensar o hacer cuando no se está enfocando en lo que está haciendo.

Capítulo 11: Meditación consciente para aliviar la ansiedad y el estrés

Aquí, en el siglo XXI, la meditación ha regresado y se ha convertido en una herramienta importante que se utiliza para afrontar la vida y cultivar el crecimiento personal. En realidad, es una forma común de ayudar con el estrés y la ansiedad, así como de eliminar los ataques de pánico.

Uno de los beneficios de la meditación para la ansiedad y el estrés es que va a reducir su malestar físico al mismo tiempo que pone las cosas en perspectiva, lo que lo ayudará a lidiar con las situaciones difíciles con mayor facilidad.

Cada uno tendrá una razón diferente para la meditación; así que no importa de dónde provenga su estrés o ansiedad, la meditación será un alivio inmediato. La meditación también se puede usar para tratar de superar los sentimientos de ansiedad y para hacer cambios más profundos en su vida.

Meditación para aliviar la ansiedad

1.En el caso de que ya sepa lo que le causa ansiedad o estrés, encuentre la fuente o algo similar. Tendrá que enfocar su práctica en las áreas que se recomiendan.

2. Encuentra una técnica de meditación que funcione para ti. Algunas técnicas fueron incluidas en el capítulo 10.

3. No se preocupe si su experiencia no está a la altura de lo que espera de la meditación. Hay muchas cosas buenas que no vas a ver al instante.

Medita para calmar el caos.

El caos siempre va a demandar toda nuestra atención. En esencia, es similar a un niño maltratado que no está contento con la tranquilidad que los rodea. El caos hace todo lo posible para derribarte y seguir al acecho para que estés en un estado de estrés constante.A través de la meditación consciente, podrás usar la tranquilidad dentro de tu mente para dominar este caos y dejarlo ir para que puedas usar tu energía para encontrar las respuestas. Las respuestas te serán más fáciles cuando dejes ir el caos.

Consejos para calmar el caos a través de la meditación.

Un efecto secundario común de la ansiedad es el estrés físico, que el caos tiene la costumbre de crear. Inhale para invitar espacio en su cuerpo y espire para liberar la tensión mientras medita.

Las técnicas de meditación se pueden utilizar para que puedas adoptar una actitud de aceptación. No importa lo que pase, tienes la opción de permitirte encontrar la paz.

Debes usar tu meditación para visualizarte por encima del conflicto que te proporcionará una perspectiva más amplia de lo que estás experimentando.

Meditación para manejar la ira

Otra forma de ansiedad es la ira, que con frecuencia nos llena y nos ahoga en el estrés, pero la meditación nos ofrecerá la tranquilidad que necesitamos para poder escapar de nuestra ira. Puedes ser más fuerte que tu ira. Cada vez que examines tu vida diaria, puedes encontrar las fuentes de tu ira y saber de qué necesitas alejarte y cuándo necesitas meditación para aliviar tu ira.

Consejos de meditacion

No intentes pensar demasiado lógicamente acerca de por qué estás enojado, eso puede ser descubierto más adelante. Todo lo que necesitas hacer mientras meditas es observar tu enojo y simplemente respirar.

La meditación no solo alivia nuestra ira y ansiedad, sino que también la sitúa en perspectiva. Solo debes saber que la meditación no va a quitar tus causas de ira. Después de que termine su meditación, deberá tomar las medidas apropiadas para resolver los problemas.

La meditación es un lugar donde puedes alejarte de tu enojo y observar para ver qué puedes aprender al respecto.

Meditación para dejar ir el drama

Es fácil quedar atrapado en el drama de las vidas que estamos viviendo; Tendemos a agarrarnos a ellos como una posesión preciada.Creemos que tenemos derecho a ser dueños de esta ansiedad y creemos que debemos mantenerla porque nos ayuda a mantenernos seguros emocionalmente. Se necesita una pequeña cantidad de coraje que se puede encontrar a través de la meditación para que podamos ver que podemos separarnos de este drama y lograr el alivio de nuestra ansiedad.

Consejos de meditacion

La visualización se puede utilizar para definir el drama al que te enfrentas para entender qué es y dejarlo pasar. También puedes elegir un objeto tangible que represente tu ansiedad; Imagínese levantando ese objeto y bajándolo y alejándose de él.

Antes de poder dejar ir el drama, tienes que entender por qué te aferras a él, si no puedes entender eso, ¿por qué te aferras a él?

El drama es un mal hábito y para romperlo, para empezar hay que abordar los patrones que crearon ese hábito.

Meditación para ver el camino

En caso de que no hayas aprendido aún, meditar para aliviar tu estrés y ansiedad significa que necesitas encontrar tranquilidad.Si su ansiedad proviene de no entender a dónde debe ir, la tranquilidad puede ayudarlo a encontrar respuestas en lugar de obligarlas a venir. Esto también requerirá que te permitas aceptar el camino que debes seguir en lugar de forzar tu camino a aparecer fuera de pánico y miedo.

Consejos de meditacion

Visualice un camino a medida que medita, imagine ese camino en un lugar donde se sienta cómodo y permita que su mente le muestre las respuestas en lugar de forzarlas en usted.

Encontrar tranquilidad puede ser difícil de lograr para algunos, así que no debes rendirte porque te será más fácil lograrlo con la práctica.

A medida que practique dejar ir las cosas que le llegan, podrá concentrarse mejor en su meditación.

Meditación para mejorar la salud

Cada día aprendemos que existe una conexión entre nuestro cuerpo y nuestro cuerpo. La meditación ayuda a aprovechar el poder de nuestra mente para realizar los cambios apropiados en nuestro cuerpo. Uno de los primeros beneficios es estar relajado y cómodo. Esto se medirá por los medios médicos tradicionales como nuestro ritmo cardíaco y presión arterial.

Consejos de meditacion

Centrarse en una dolencia física específica.

Imagina las diferentes partes de tu cuerpo físicamente estresado. Visualice que sus órganos funcionan mejor y que sus músculos se relajan.

Recoge la energía curativa que te rodea, respírala de modo que vaya a las áreas que tienen dolor o que experimenten molestias.

Meditación para sentir un ritmo natural de la vida.

La ansiedad puede hacer que sientas que tu vida va contra el ritmo natural. Cuanto más nos empujamos contra el flujo, más difícil se vuelve la vida y más ansiedad experimentamos. Es mejor para nosotros, a largo plazo, dejar que las cosas salgan naturalmente.La meditación puede ayudar a aliviar nuestra ansiedad al concentrarnos en nuestros objetivos y permitir que se desarrollen como lo harán.

Consejos de meditacion

No se centre en sus esfuerzos para alcanzar sus metas, en lugar de eso, cree una visión de lo que quiere y concéntrese en eso.

En lugar de visualizar tu objetivo, desplázate y espera a ver qué pasa.En su lugar, piensa en lo que debes hacer para forzarlo a suceder.

Permítase tener permiso para dejar que sus problemas y ansiedad se desvanezcan por sí solos.Míralos con indiferencia y pasa tu tiempo reforzando tus pensamientos positivos.

Meditación para buscar la simplicidad

Cuanto menos tenga en la vida, menos tendrá que preocuparse. Pero, lograr una vida simple es más fácil decirlo que hacerlo. La meditación lo ayudará a darse cuenta de los beneficios de tener una vida simple que hace posible no solo desear la simplicidad sino también hacerla realidad.

Consejos de meditacion

Mientras meditas, debes imaginar tu vida sin todos los extras. ¿De qué puedes deshacerte en tu vida y qué vas a extrañar de esas cosas?¿Qué harías si tuvieras más espacio de alegría en tu vida si te deshicieras de algunas de las posesiones mundanas que tanto aprecias?

Enfócate en las cosas que son intangibles como el amor, la belleza natural y la paz.

Date permiso para comerciar con la alegría de no tener posesiones mundanas sino espirituales.

Meditación para buscar claridad

Cuando te concentras demasiado en algo, puedes causarte un estrés excesivo que puede bloquear la mente y dificultar el avance. Cuanto más lo intentes, más ansiedad sentirás. La mejor manera de lograr claridad es pensar positivamente sobre el panorama general. Mientras meditas en la imagen más grande, puedes empezar a ver cómo las cosas encajan mejor.

Consejos de meditacion

Elige tu imagen mental que va a representar tu situación completa. Esta imagen ayudará a tu mente a mantener su enfoque en lugar de perderse en los pequeños detalles.

Permita que su subconsciente trabaje en la situación sin que se quede atascado. Se sorprenderá de lo mucho que puede resolver cuando no permite que sus temores se apoderen de su mente.

Cuando haya terminado con su meditación, centre su mente en soluciones más concretas

Meditación para dejar ir los pensamientos

Experimentamos más ansiedad cuando luchamos con nuestros pensamientos. Cuanto más pensamos en las cosas, más ansiedad experimentamos, especialmente cuando nuestros pensamientos son negativos o llenos de miedo. Estos pensamientos van a tener una presencia convincente y el truco es elegir otra cosa para enfocarse.

Consejos de meditacion

Imagina que eres un extraño al ver tu ansiedad como parte de un paisaje antes de permitir que tu atención se mueva hacia otra cosa que te hará sentir mejor.

Cuando no esté seguro de qué pensamiento está causando la ansiedad, comience a meditar haciendo un inventario mental de todo y de todos en su vida y tome nota de cuándo aumenta su ansiedad.

Hay algunas personas que agregan acciones simbólicas a su meditación y que les ayudan a identificar qué pensamientos deben dejarse ir. Escribe tus miedos en un pedazo de papel y quema para que los dejes ir físicamente.

Meditando para relajar tu cuerpo.

La ansiedad y el estrés harán que su cuerpo esté tenso y que su respiración se acelere mientras sus arterias se estrechan. No hay nada en nuestro cuerpo que funcione como debería cuando estamos ansiosos. W gallina que no se siente bien físicamente, que tienden a experimentar más ansiedad.La mediación rompe este ciclo y crea un estado mental en el que nuestro cuerpo puede relajarse y dejar de lado lo que nos impide relajarnos.

Consejos de meditacion

Hacer yoga.

La meditación puede relajar su cuerpo y promover la curación, especialmente después de cirugías mayores o eventos físicamente traumáticos.

Si tiene problemas para relajarse, apriete los músculos con fuerza mientras inhala y luego libere la tensión mientras exhala.

Meditación para fortalecer la fe

¿Dónde pones tu fe? ¿Una mayor potencia? ¿Tú mismo? Las circunstancias a tu alrededor? ¿Tu futuro? A medida que tu fe crece, te ayuda a vencer la depresión y cuando experimentas la plenitud, verás cómo tu ansiedad se desvanece. La meditación ayuda a fortalecer nuestra fe al hacer tiempo para abrir tu corazón.

Consejos de meditacion

La familiaridad va a fortalecer tu fe y solo el tiempo ayuda con eso. Para aumentar tu fe, debes dedicar un tiempo a meditar para nutrir tu fe.

No presiones demasiado para sentir tu fe. Empujar solo creará más ansiedad y estrés innecesario. Solo ábrete y nutre tu fe.

Si su deseo es fortalecer su fe que está ligada a una persona o una fuente, maximice sus resultados enfocándose en ese objeto mientras medita.

Meditación para cultivar la atención plena.

La atención plena va a significar que eres consciente de todo lo que está a tu alrededor. No harás juicios basados en las cosas que te rodean, sino que te permites simplemente ser.La meditación de atención plena le proporcionará la perspectiva que necesita para romper su ciclo de ansiedad.

Consejos de meditacion

Una excelente manera de utilizar la meditación para encontrar alivio a su estrés y ansiedad es la atención plena. Este es un momento en el que puede disminuir la velocidad y conectarse a sí mismo sin preocuparse por lo que sucede a su alrededor.

Si encuentra que es difícil mantenerse enfocado en su meditación, deberá intentar visualizarlo desde arriba. Mírate a ti mismo medita y toma nota de las cosas que están en la habitación que te rodea.

La atención plena ayuda a expandir su conciencia, lo que ayuda a aliviar el estrés y la ansiedad.

Meditación para Liberar Juicio

Es naturaleza humana juzgar y no podemos detenernos de ello. Sabemos que es correcto no juzgar lo que nos hace juzgarnos a nosotros mismos. Esto no solo puede causar ansiedad sino que nos haga infelices. La meditación puede ayudar a liberar el juicio y la ansiedad que usted siente al permitirnos dejar de lado la responsabilidad . Al no juzgar a los demás, sentimos un gran alivio y podemos centrarnos en las cosas que son más importantes.

Consejos de meditacion

Mientras medita, reconozca cada pensamiento crítico que le venga a la mente y luego libérelo para que pueda volver a concentrarse en lo que está haciendo.

Mientras medita, practique el testimonio sin el juicio. Cuanto más practiques, más fácil será reemplazar tu juicio con compasión.

Explora el karma yoga para que puedas enfocar tu meditación en servir a los demás.

Meditación para permitir emociones

El estrés y la ansiedad están hechos de emociones negativas. Sentimos este dolor tanto mental como físicamente, y hay veces en que sacamos el dolor para protegernos , se vuelve más familiar.Hay otros momentos en los que intentamos alejar la ansiedad y el estrés de nosotros mismos, pero la mayoría de las veces, cuanto más empujamos, más crece. Debes abrazar tus emociones como la depresión y luego moverte a través de ellas pacíficamente.

Consejos de meditacion

Nuestra ansiedad y estrés suelen ser el resultado de nuestro pánico. Cuando nos sentimos abrumados, debemos comenzar a meditar y observar nuestras emociones sin intentar descubrir nada todavía.

Habrá momentos en que será difícil saber cuáles son exactamente tus emociones.Debes concentrarte, para que puedas entenderlos bien mientras estás meditando. No le pongas un nombre a tu emoción.

Siempre que surja una emoción fuerte, toma al menos tres respiraciones en el centro de tu pecho antes de disipar la emoción similar a una ola cada vez que llega a la orilla.

Meditación para deshacerse de los mecanismos defensivos

Todos se ponen a la defensiva cuando son empujados lo suficiente.Los mecanismos de defensa incorporados nos ayudan a enfrentar nuestros miedos y ansiedades, lo que causará que usted tenga más ansiedad. Al usar la meditación podemos ver nuestras defensas más fácilmente y deshacernos de ellas, lo que ayudará a reducir nuestra ansiedad ya que podemos ver nuestros temores más claramente.

Consejos de meditacion

Cuando alcanza un estado de tranquilidad con sus técnicas de meditación, puede intentar reconocer sus mecanismos de defensa y eliminarlos.

Cuando haya identificado estos mecanismos, entrene para dejarlos ir y luego regrese simplemente inhalando y exhalando.

Ahora trabaja sobre los miedos que ocultas y usas.

Los mecanismos de defensa para mantenerlos ocultos.

Meditación para escuchar silencio

Tu estrés y ansiedad pueden ser causados cuando aprendes la verdad sobre partes de tu vida, así como cualquier creencia conflictiva que te dificulte saber la verdad. Debido a la tranquilidad de la meditación, podrás abrirte a la verdad sin necesidad de ponerla en palabras.

Consejos de meditacion

Hay muchas verdades que van más allá de lo que podemos comprender, por lo que mientras medita, puede notar sentimientos y pensamientos que no podrá describir.

En lugar de buscar respuestas, observe estas ideas.

Para disminuir aún más su ansiedad, antes de intentar explicárselo a alguien más, debe comprender la verdad y liberarse de cualquier expectativa que tenga sobre sí mismo.

Meditación para lograr un estado superior de conciencia

Sentir ansiedad y estrés no solo es mentalmente agotador sino también físicamente. Solo queremos que nuestra ansiedad y estrés nos aflojen para poder vivir un poco más en paz. Cada vez que nuestros sentimientos destructivos se vuelven más intensos, muchas personas tienden a rendirse. ¡No deberías rendirte sin embargo! La meditación puede ayudarte a encontrar la paz más fácilmente.

Consejos de meditacion

1. Si desea un estado de conciencia más elevado, le será útil tener una idea de su verdadera naturaleza, pero también lo hará contar con un instructor que pueda ayudarlo a entrenarse en prácticas de meditación más profundas.

2. No hagas demasiado a la vez. En silencio es cuando suceden cosas mientras estás meditando.

3. ¡Ábrete a las posibilidades porque son infinitas!

Tenga en cuenta que no hay una manera incorrecta de meditar. ¡Encuentra el que mejor funcione para ti y deja de lado el estrés y la ansiedad!

Capítulo 12:

Creando un espacio de meditación

Debes tener en cuenta que la meditación se supone que es tu momento y quieres que sea especial. Incluso si ha estado meditando la mayor parte de su vida, necesita tener un lugar que facilite su meditación y la diferencie de cualquier otro momento de su día. Por lo tanto, ¿por qué no deberías agregar algo de emoción a tu meditación? Puede crear su propio espacio privado, incluso si vive en una casa pequeña, de modo que tenga algo que esperar cada día cuando medite.

Debes saber que un área de meditación no será obligatoria porque puedes meditar donde te sientas más cómodo. La idea es crear un lugar para que pueda reservar su tiempo de meditación a un lado y no se distraiga durante este tiempo.

Elija un lugar : si tiene una habitación en su casa que se enfrenta a una naturaleza relajante

Escena entonces lo más probable es que hayas encontrado el espacio perfecto. Pero, si ya está utilizando este espacio para otra cosa, entonces tendrá que buscar otro o tendrá que averiguar cómo usar el espacio para su meditación, como mover cosas de la habitación a otra habitación. O bien, puede utilizar un pequeño rincón de la habitación para su meditación. Si no tiene una escena como esta, puede crear una en cualquier habitación de su casa. Tampoco tiene que contener la naturaleza, solo algo que le proporcionará una experiencia placentera de meditación.

Mantenga el área limpia : cuando el ambiente a su alrededor esté limpio, podrá relajarse más.Intente y mantenga su área lo más limpia e higiénica posible o, de lo contrario, podría experimentar una sesión de meditación mediocre.

Invite al aire fresco : usar un espacio bien ventilado hará que su experiencia sea mejor, así que abra algunas ventanas o coloque un ventilador que haga volar el aire.

Tonos claros : los pasteles brindan una sensación más relajante, por lo que es posible que desee elegir una habitación que sea blanca o de sombra clara .Incluso puede poner un fondo de pantalla para darle al espacio un efecto calmante o colocar cortinas en las ventanas hechas de tela transparente para invitar a más luz y profundidad a su espacio.

Enciéndelo : aunque las cortinas transparentes dejen entrar la luz del sol durante el día, ¿qué sucede si meditas por la noche?Ilumina la habitación como quieras, pero la luz tenue será mejor porque creará el ambiente para ti. Sin embargo, si te gusta que la habitación sea luminosa, esa es tu elección.

Olores : a todos les gusta que su casa huela bien, así que elige un aroma aromático con el que puedas vivir.La fragancia puede ser un calentador de velas o incluso incienso, solo asegúrese de que no le molestará el olor a humo, dependiendo de cómo planee llenar la habitación con el aroma de su elección.

Declutter : cuanto menos desorden te rodee, mejor.Por lo tanto, trate de asegurarse de que su rincón o habitación esté lo más despejada posible. Meditar en el desorden puede hacer que te distraigas porque querrás pasar por el desorden para limpiarlo o intentar encontrar algo que has estado buscando.

Comodidad : debes tratar de evitar meditar directamente en el suelo.Las colchonetas de yoga o los colchones bajos son perfectos para la meditación, pero también puedes elegir un asiento con respaldo si descubres que es más difícil para tu cuerpo sentarse sin apoyarse contra algo.

Teléfonos : debido a que se supone que su tiempo de meditación es tiempo de silencio, sus llamadas y mensajes de texto pueden esperar.Apague su teléfono o manténgalo fuera de la habitación por completo. El punto detrás de la meditación es desconectarse por un tiempo.

Música : la música es una buena manera de ponerse de humor, pero no debe ser una distracción.La música instrumental hace maravillas para mejorar tu experiencia.

Pero, no es un requisito, depende completamente de usted si desea reproducir música o no.

Creando un espacio en el trabajo

Elige un espacio en tu escritorio para meditar. Manténgalo limpio y vacío a excepción de unas pocas fotos si lo desea.

Coloque una hoja en su escritorio para usarla para la meditación, ya sea en su escritorio, en el piso o en su silla.

Si sientes frío, mantén algo caliente a tu lado.

Mantenga sus aparatos electrónicos apagados durante los pocos minutos que medita.

Capítulo 13:

Consejos y trucos de meditación

La meditación es un buen momento para que pueda manejar el estrés y controlar su salud. Si lo combinas con la forma física, obtendrás el lado físico y mental de tu cuerpo. Al hacer esto, podrá mejorar en asegurarse de que está logrando sus metas porque podrá lograr que su cuerpo y su mente se conviertan en uno solo.

Esto no va a suceder de inmediato; tomará tiempo.Entonces, al igual que cuando estaba o está tratando de hacer una rutina de ejercicios, lo va a hacer todos los días y preste especial atención para asegurarse de que está haciendo todo lo que puede hacer para estar más saludable o en forma.

Lo mismo ocurre con la meditación! Piensa en ello como un estado físico, excepto por tu mente.

En este capítulo, vamos a discutir algunos consejos y trucos que harán que tu meditación sea mucho más fácil.

Crear tiempo libre. Es posible que le resulte fácil pensar en una razón para no hacer algo. Ya sea porque está demasiado ocupado o porque tiene otras cosas que hacer y no cree que pueda tener tiempo para meditar. Sin embargo, tienes que crear el tiempo! No tiene que ser horas y horas, todo lo que necesita son al menos diez minutos para meditar sin interrupciones.

El espacio que utilices para la meditación debe estar tranquilo. No tiene que transformar una habitación en su propia habitación privada con velas y todo lo demás para que esté tranquilo.Puede meditar en su escritorio, en su automóvil o en cualquier lugar donde encuentre esos momentos preciosos en los que no se verá interrumpido.

Debes estar cómodo. Muchas técnicas de meditación requieren que te sientes en una posición particular y si bien esto es perfectamente aceptable, no quieres sentirte incómodo, o de lo contrario te será difícil meditar. Por lo tanto, si va a seguir la ruta tradicional y se sienta en el suelo en posición de loto, querrá asegurarse de que está cómodo. Si no puede sentarse en el piso por largos períodos de tiempo o no tiene la oportunidad de hacerlo, entonces busque una silla que sea cómoda para sentarse. Pero no elijas tu sillón reclinable porque te sentirás demasiado cómodo y, por lo tanto, no podrás concentrarte en tu meditación. Por lo tanto, elija una silla en la que pueda sentarse derecho que no tenga soporte para la espalda o que le permita sentarse en el borde de la silla, de modo que no se quede encorvado en la silla distrayéndose o lastimando la espalda.

No lleve su computadora portátil o teléfono a su lugar de meditación. No querrás tener ningún tipo de distracción cuando se trata de tu meditación, y si los tienes a tu alcance, lo más probable es que te distraigas. Usted está tratando de alejarse del estrés en lugar de llevar el estrés a su momento de tranquilidad. ¿Recuerdas esa burbuja de la que estábamos hablando antes? ¡Ponte en esa burbuja! Usted está tratando de alejarse del estrés en lugar de traer más a su vida.

Centra tu atención en algo que sea pacífico. No importa si está meditando con los ojos abiertos o cerrados, querrá concentrarse en algo. Puedes concentrarte en una flor, una vela o cualquier otra cosa que encuentres que te traiga paz. Si estás meditando con los ojos cerrados y sabes que te distraerán tus pensamientos, es probable que desees comenzar un mantra para mantener tu atención en un lugar en lugar de hacerlo por todos lados.

Vuelve tu mente cada vez que comienza a vagar. No te obligues de nuevo a lo que estás meditando con fuerza, hazlo con suavidad. Recuerda que este es tu momento de tranquilidad y que no vas a querer distraerte. Va a ser difícil cuando empiezas, porque tu mente vaga naturalmente. Sin embargo, cuanto más tiempo medites, más fácil será para tu mente caer en ese estado de calma de forma natural y no vagar.

Termina tu meditación cuando lo necesites. No tienes que meditar por largos períodos de tiempo, y si solo eres capaz de meditar durante veinte minutos a la vez, entonces debes cerrar tu meditación.Estás tratando de reducir el estrés, por lo que no querrás salir de tu meditación con una acción discordante, en lugar de eso, elige algo que sea suave para no hacer que tu cerebro recuerde esa acción discordante.Hacer esto puede hacer que tu cuerpo rechace la meditación debido a la forma extrema en que te apartaste de ella.

Repita lo que necesite. Puede meditar varias veces al día o por períodos más prolongados si lo necesita. Cuando sientas la necesidad de meditar, serás capaz de hacerlo.No hay reglas sobre cuántas veces al día puedes meditar o cuánto tiempo debe durar cada sesión de meditación. Es totalmente de usted.

Capítulo 14:

El budismo y los tiempos modernos.

El budismo no es una religión unificada; algunos incluso irían tan lejos para decir que no es una religión en absoluto. Sin embargo, se ha extendido desde la India a varios países de Asia y cada país al que ha ingresado ha llegado a comprenderlo y adaptarlo a esa cultura. Pero, hay varias marcas de budismo en Asia.

El budismo tiene tres oleadas generales. El sudeste asiático sigue el budismo theravada. Hay otra ola en Asia central que se extiende a China y luego de China a Corea y Japón, e incluso a Vietnam. Finalmente, otra ola es de la India al Tíbet y del Tíbet a Mongolia ya través de Asia central. Esto incluye una variedad de grupos mongoles que se mudaron a Rusia. Por lo tanto, se puede encontrar una amplia diversidad en el budismo, por lo que es más fácil explicarlo como olas.

En los tiempos modernos, somos capaces de rastrear estas olas durante un par de siglos, lo que ha demostrado el interesante movimiento del budismo hacia los países occidentales.

Cada área tendrá una historia diferente, lo que significa que habrá una interacción diferente con la cultura cuando el budismo ingrese al país. Es difícil generalizar esto, lo que nos deja con la situación de lo que está sucediendo en la actualidad y las perspectivas que existen para el resto del siglo XXI e incluso más allá. Una forma de abordarlo es observar cómo habló el Dali Lama sobre el budismo porque hay tres áreas. Una es la ciencia budista, otra filosofía budista y, finalmente, la religión budista. Cada área tendrá sus propios beneficios que ofrece al mundo circundante.

Hablando de la religión budista tradicional, no es una religión misionera porque no está preparada para salir y salvar a todos. Hay muchas diferencias que se pueden ver entre las religiones dhármicas y las religiones abrahámicas. Las religiones abrahámicas son generalmente religiones basadas bíblicamente como el cristianismo. En estas religiones, también hay un gran énfasis en la historia que incluye algún tipo de creación al principio de los tiempos y un creador. Luego hay una revelación de la verdad y luego un profeta final.

En las religiones dhármicas, estarás tratando con el dharma que, como ya sabes, es sánscrito y se traduce como "aquello que te impedirá sufrir". Por lo tanto, estas religiones no se centrarán en la historia o la creación. No hay creador y todo puede ser explicado por la ciencia. El budismo acepta la teoría del Big Bang como el comienzo del universo y creen que así es como el universo terminará también. Hay otros ciclos por los que pasa el universo y los ciclos continuarán incluso después de que el universo que sabemos se haya ido. La ciencia moderna ha llegado a la misma conclusión. Cuando miras la religión desde este punto de vista, te das cuenta de que la historia no es importante y que a menudo se confunde y termina llamándose un mito. Tomemos, por ejemplo, que Krishna es una figura histórica importante como el Rey Ashoka.

Pero, se considera un mito porque su historia ha cambiado mucho. Buda es considerado como un maestro, pero no como un dios o un creador.

Todos descubren una verdad dentro de sí mismos y no es necesario encontrarla aceptando la autoridad de otra persona. Tu verdad y realidad se basarán en la individualidad que te diferencia de todos los demás y cada uno descubre estas verdades de diferentes maneras. Es por eso que hay tantos métodos y enseñanzas budistas diferentes porque se ajustan a diferentes sociedades y culturas.

Capítulo 15: Rituales y derechos.

Cada religión tendrá su propio conjunto de derechos y rituales que se seguirán cuando sea oportuno. Y, al igual que cualquier otra religión, estos rituales y derechos son sagrados y deben ser respetados como tales.

Rituales de muerte

La muerte tiene una gran importancia en la religión budista. Cuando alguien pasa, es el momento de que se acumule el karma de su vida anterior y es el factor determinante en su próxima reencarnación.Para aquellos que aún viven, se convierte en una lección de impermanencia. Las escuelas principales del budismo tienen muchas costumbres comunes, pero algunas de ellas tienen costumbres únicas para esa escuela en particular. Debido a que hay diferentes facciones budistas, no puede haber reglas establecidas. Pero, hay algunas prácticas que son aceptadas por todos. Los amigos y familiares de los fallecidos, así como los líderes religiosos, van a presentar sus respetos mientras los monjes realizan sermones en la casa. Las tradiciones funerarias budistas no suelen ser extravagantes porque los budistas no creen que las posesiones mundanas puedan llevarse con usted a la próxima vida. Los budistas de Theravadan prefieren ser cremados; pero, hay tanto clásicos como cremaciones que son aceptados por todos los budistas. Los monjes budistas rezan, cantan y predican en las ceremonias funerarias.

Rituales matrimoniales

En la mayoría de los países budistas, los matrimonios son arreglados por los padres. Esto se debe a que los padres creen que saben lo que es mejor para sus hijos, ya que tienen la mayor experiencia en la vida. Esto también se hace porque el matrimonio está uniendo a las familias y las familias deben tener algo que decir en el matrimonio. Hay momentos en que los padres piden a los astrólogos que sugieran cuándo es el mejor día para celebrar la ceremonia de la boda para que el matrimonio dure.

No hay una ceremonia que se lleva a cabo en un templo o monasterio porque la ceremonia tiene lugar en el hogar. Los matrimonios británicos no pueden celebrarse en hogares, por lo que a menudo se casan en un templo budista. A pesar de que los monjes están invitados, no realizan la ceremonia. Uno de los parientes masculinos de la novia está a cargo. Además de eso, también hay una ceremonia civil.

La novia y el novio prometen honrarse y respetarse mutuamente y por lo general se dan un anillo. Sus pulgares derechos también están atados o sus muñecas pueden estar atadas con un pañuelo de seda. Este es un símbolo para mostrar al mundo que están unidos como marido y mujer. Más tarde, los novios van a los monasterios para recibir la bendición de los monjes, así como escuchar un sermón sobre lo que Buda pensó acerca del matrimonio. Una vez hecho esto, una comida es compartida por todos. Esta celebración puede durar varios días.

Ceremonias de Nacimiento

Para el budista Theravada, hay ceremonias específicas que deben realizarse cada vez que nace un niño. Una vez que el niño está lo suficientemente sano como para dejar el hospital, los padres lo llevan al templo donde se coloca en el piso frente a la estatua de Buda y se les bendice con las Tres Joyas.

Iniciación

Para convertirse en budista, no se celebra una ceremonia especial, sino que se repite sinceramente los tres refugios y los cinco preceptos. Al aceptar esto, el individuo investigará las enseñanzas de Buda y se esforzará por practicar lo que se sugiere.

Si quieres convertirte en un Bhikkhu, el proceso es largo e implica una ceremonia educativa y entrenamiento disciplinario, que involucra al novato (la persona que busca convertirse en un monje), el abad (el jefe del monasterio) y la Sangha (el monjes de la comunidad). Antes de que el principiante pueda ser iniciado, el naag tiene que afeitarse toda la cabeza y responder una serie de preguntas a los monjes mayores.En el caso de que las respuestas sean satisfactorias y mientras ninguno de los monjes se oponga , el naag puede ser admitido en la Sangha y luego comienza su entrenamiento.

Cada monje tiene que observar 227 reglas que ayudan a guiarlos a través de su vida cotidiana. Los primeros cinco son observados por todos los budistas que se conocen como los cinco preceptos. Los siguientes cinco se aplican solo a los monjes.

No comer despues del mediodia

No asistir a espectáculos donde haya baile o música.

No utilizar perfumes ni joyas personales.

No duerma en una cama que esté elevada o tapizada

No aceptes dinero como regalo.

Servicio memorial

Los amigos y familiares de los fallecidos se reúnen en el templo o en su casa para recordar al familiar fallecido. Una vez que se hace el servicio, normalmente comen juntos, ya sea en casa o salen. Esta comida es importante porque renueva la mente y el cuerpo de cada miembro de la familia al tiempo que fortalece los lazos que mantienen unida a la familia. Esta es una costumbre que ayuda a enfatizar el hecho de que la muerte es natural y no debe ser temida. Un servicio conmemorativo es el momento perfecto para reforzar los lazos familiares más allá de la familia inmediata al tiempo que crea un sentido de continuidad y comunidad a través de múltiples generaciones.

Bendiciones de casa o apartamento

Para eliminar la energía negativa y crear un espacio para que fluya energía positiva y curativa a través del hogar, los líderes religiosos budistas entrarán al hogar con incienso mientras cantan y tocan una campana no solo dentro sino fuera del hogar.

Construcción o bendición del lugar de trabajo

Al cambiar a una energía más positiva en el lugar de trabajo, se pueden cambiar los sentimientos y los empleados pueden ser más productivos. Es similar a la bendición de una casa, excepto que se realiza en un edificio de trabajo. Se recomienda hacerlo antes de que se abra el edificio, pero si eso no es posible, se puede hacer en cualquier momento.

Bendición del Altar

Debido a que muchos budistas tienen un espacio sagrado dedicado en su hogar para su meditación diaria y cantos o apartados para poder conectarse con la compasión y la sabiduría que hay en el universo, los sacerdotes budistas vinieron al hogar y bendijeron este espacio creado. en la casa. Está destinado a ayudar a mantener la energía positiva fluyendo, así como a ayudar al individuo en su camino hacia la iluminación.

Ceremonia de nuevos miembros

Si eliges el Budismo Shin como tu camino espiritual, puedes hacerlo en cualquier momento durante el año. Lo primero que se debe hacer es hablar con uno de los líderes religiosos sobre cómo convertirse en miembro. Estas ceremonias se llevan a cabo durante la primavera y el invierno, donde el nuevo miembro será reconocido por la comunidad y recibirá algunos regalos. Una vez que se complete la ceremonia, el nuevo miembro cenará con la Sangha para que puedan aprender más sobre su nueva comunidad.

Conclusión

Gracias por llegar hasta el final del budismo , esperemos que haya sido informativo y capaz de proporcionarle todas las herramientas que necesita para alcanzar sus metas, cualesquiera que sean.

El siguiente paso es decidir si quieres seguir el budismo o no. Has visto una variedad de enseñanzas que te enseñarán cuando y si decides unirte a la fe budista. No hay nadie que pueda tomar la decisión por usted.

Mira tu vida y decide si vas a poder seguir las reglas del budismo, entonces tal vez deberías convertirte y vivir una vida pacífica.

El propósito de este libro no fue pedirle que se convierta, fue para ayudarlo a comprender mejor el budismo y darle la información que necesita para tomar la mejor decisión en su vida.

Finalmente, si encuentra que este libro es útil de alguna manera, ¡siempre se agradece una recomendación.

Printed in the USA
CPSIA information can be obtained
at www.ICGtesting.com
LVHW011142210923
758605LV00028B/72